课本 1
TEXTBOOK

345
Spoken
Chinese Expressions

陈贤纯 编著

汉语口语

345

北京语言大学出版社
BEIJING LANGUAGE AND CULTURE
UNIVERSITY PRESS

图书在版编目（CIP）数据

汉语口语 345 课本．第 1 册／陈贤纯主编．—北京：北京
语言大学出版社，2009.12
ISBN 978-7-5619-2516-4

Ⅰ．汉…　Ⅱ．陈…　Ⅲ．汉语—口语—对外汉语教学—教
材　Ⅳ. H195.4

中国版本图书馆 CIP 数据核字（2009）第 201569 号

书　　名:	汉语口语 345 课本．第 1 册
责任编辑:	程　洲
责任印制:	汪学发

出版发行: 北京语言大学出版社
社　　址: 北京市海淀区学院路 15 号　邮政编码：100083
网　　址: www. blcup. com
电　　话: 发行部　82303650/3591/3651
　　　　　编辑部　82303647
　　　　　读者服务部　82303653/3908
　　　　　网上订购电话　82303668
　　　　　客户服务信箱　service@ blcup. net
印　　刷: 北京新丰印刷厂
经　　销: 全国新华书店

版　　次: 2009 年 12 月第 1 版　2009 年 12 月第 1 次印刷
开　　本: 787 毫米×1092 毫米　1/16　印张：10
字　　数: 140 千字
书　　号: ISBN 978-7-5619-2516-4/H·09237
定　　价: 38.00 元（含练习、测试）

凡有印装质量问题，本社负责调换，电话：82303590

致学习者

《汉语口语345》是一套对外汉语口语教材，供短期学习汉语或者业余学习汉语的零起点学生使用。为了方便学习者，本书共分为四册，供不同起点的学习者选择。

每册有16课，每四课有一次复习。如果进行正规的课堂教学，每周五个工作日，按一天学一课的进度，每一册可用四个星期。如果学完了第一册，还要学习四个星期，可以继续使用第二册，全套教材可供学习16~20周的学生使用。

每一课都配有练习题。这是对课堂教学的补充，如果时间不够，这些练习可以不做或只做一部分。

复习时，第一节课口头复习句型、会话、课文等。第二节课可用本书配套的单元测试活页对这一周的学习内容进行测试。为方便课堂使用，练习和测试单独装订成册。

练习和复习中都有"口腔操练"，是用简单重复的方法，把最基本的东西练得顺口、练得滚瓜烂熟，对于初学者很有效果。

本教材以语法为纲，编者认为**语言的结构是语言中最核心的东西**，而且语言结构的数量是很有限的，比较容易掌握。集中学习语言结构、掌握了语法以后，学习者就能够举一反三，语言能够自然生成。所以强化语言结构教学是语言教学的捷径，也是对外汉语教学多年来最成功的经验。

语言结构包括语音结构和语法结构。

第一册包含了汉语的语音和一些最常用的语法。

第二册、第三册和第四册都是常用语法。这四册书包含了汉语所有的基本语法。

本教材强调**实践**和**操练**，强调**熟练**。既然是学习汉语口语，那么就必须张开口不停地练习说汉语。为此，课本为学习者提供了大量说汉语的机会,其中包括"句型替换练习"、"会话"、"课文"三个部分。

每一课的语法内容都已经编进了"句型替换练习"里，所以"句型替换练习"是每一课的核心。课堂上要重点练习的是"句型替换练习"，做替换练习就是学习语法。把每一个替换练习都练得滚瓜烂熟，这一课的语法就学会了。每一课都有4~6个句型，课堂教学时间大约需要一节课。

语言是技能，任何技能都是通过自己不断操练获得的，而不是通过别人讲解，所以我们不主张讲解语法。本教材的"语法"部分供老师备课用，也可以供学生课前预习。语法不在课堂上讲解。

"会话"和"课文"也是根据每一课的语法编写的，为学生进一步练习本课的语法提供更多的语言环境。

句型替换练习、会话和课文这三部分内容为学生提供了听和说的环境。所以每一课都必须把这三部分练得滚瓜烂熟才算学完。只有练得滚瓜烂熟，才能产生语感。只有产生了语感才能获得语言的生成能力，从而生成自然流利的口语。

如果你是自学，应该听录音，把每一课的句型替换练习、会话和课文念得滚瓜烂熟，这样才能学会说汉语。学汉语必须开口多练，要是不练，就学成了哑巴汉语。

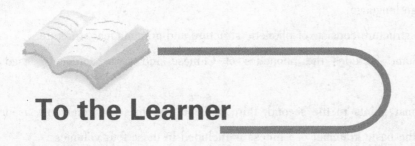

To the Learner

345 Spoken Chinese Expressions is an oral coursebook for those who learn Chinese as a foreign language. It is suitable for beginners who are students of a short-term Chinese programme or who learn Chinese during their spare time. This coursebook is divided into four volumes, each of which is intended for learners of different levels respectively.

There are sixteen lessons in each book with a review lesson after every four lessons. Each volume can be finished in four weeks with one lesson a day and five days a week. If you finish the first volume and have another four weeks, you can go on to the second volume. And the whole series can be used by students who have sixteen to twenty weeks to learn Chinese.

For the review lesson, the first class period can be used to review the sentence patterns, dialogues and texts, etc., and the second to test on what have been learned in the past week using the loose-leaf test that goes with the book. The exercises and tests are included in a seperate volume, which is easy for learners to use in class.

There are exercises for each lesson, which supplement the classroom teaching. If time is limited, you can just do part of it.

In every lesson including each review, there is a section named "Oral exercises". This section offers some simple but very useful repetitive exercises, which helps you master the basics of the language and works very well for beginners.

Grammar is the core of this book. The compiler believes that the essence of a language lies in the language structure, and it is not difficult to learn because it is limited in amount. After learning the structure and grammar of a language, learners can learn the language more easily through practice. Therefore, strengthening the teaching of language structure is a shortcut of language teaching and the most successful way of teaching

Chinese as a foreign language.

The language structure consists of phonetic structure and grammatical structure.

The first volume includes the phonetics of Chinese and some commonly used grammar.

All the grammar points in the second, third and four volumes are commonly used grammar. And all the basic grammar of Chinese is included in these four volumes.

Practice, drills and proficiency are emphasized in this coursebook. Since you are learning spoken Chinese, you have to open your mouth and practice it over and over. Therefore, this book offers numerous opportunies for learners to speak Chinese, including substitution drills of the sentence patterns, dialogues and texts.

The grammar taught in each lesson is practised in the section of "Substitution drills of the sentence patterns", which is the essence of each lesson. The substitution drills should be taken as the key exercises in class, through which grammar is learned. When each substition drill is thoroughly learned by heart after repetitive practice, the grammar in this lesson will be acquired. There are four to six sentence patterns in each lesson, which will take about one period of class.

Language is a skill. Every skill is acquired through practice instead of other's explanation, so we do not advocate teaching grammar. The grammar of this book is for teachers to prepare lessons and for students to preview. It is not supposed to be taught in class.

"Dialogue" and "Text" are also written based on the grammar learned in each lesson. They provide a real language environment for students to practise grammar in the lesson.

Substitution drills of the sentence patterns, dialogues, and texts provide students with an environment for listening and speaking Chinese. Only when you have learned them thoroughly by heart, can you say this lesson is finished. The sense of language is acquired only in this way, which is the basis of fluent spoken Chinese.

If you are a self-learner, you should listen to the recording, and read and recite the substitution drills, dialogues and texts over and over until you can do it fluently. This is the only way to learn to speak Chinese. Oral practice is essential in Chinese learning, or it will be silent Chinese.

目　录

Contents

Dì-yī Kè　Nǐ　Hǎo
第一课　你　好
Lesson 1　Hello

一、核心句　Key sentences

1　你好！　　　　　　　　　　　Hello!
Nǐ hǎo!

二、发音　Pronunciation

1　韵母 Finals（vowels）

a o e i u ü er
ai ei ao ou an en ang eng ong

ia ie iao iu ian in iang ing iong
ua uo uai ui uan un uang
üe üan ün

2 声母 Initials（consonants）

b p m f   d t n l
g k h   j q x
z c s   zh ch sh r

3 声调 Tones

汉语是有声调的语言，普通话有四个基本声调：分别用声调符号"ˉ（第一声）、ˊ（第二声）、ˇ（第三声）、ˋ（第四声）"来表示。声调不同，表示的意义也不同。例如 bā（八）、bá（拔）、bǎ（把）、bà（爸）。

There are four tones in Chinese common speech, indicated by the symbols "ˉ"（the first tone）, "ˊ"（the second tone）, "ˇ"（the third tone）and "ˋ"（the fourth tone）. The meaning of a character varies when the tone is different, e.g. bā（eight）, bá（pull）, bǎ（handle）, and bà（papa）.

| 第一声 55 | 第二声 35 | 第三声 214 | 第四声 51 |
| the first tone | the second tone | the third tone | the fourth tone |

ā	á	ǎ	à
mā	má	mǎ	mà
bā	bá	bǎ	bà
lā	lá	lǎ	là

声调对比 Compare the different tones

lā — là	gāo—gào	bēi—bèi	pēi—pèi	dī—dì
tī — tí	lū—lú	qī—qí	pā—pá	bā—bá
mā — mǎ	hāo—hǎo	bāi—bǎi	jī—jǐ	gū—gǔ
fā — fà	pāi—pài	tā—tà	pō—pò	kē—kè
hāi—hái	fū—fú	māo—máo	wū—wú	yī—yí

辨调 Distinguish the tones

(1) mà　dōu　tuō　qì　gē　jì　qù　zhè　duō　mài

(2) mèi　bō　pò　pà　fā　tì　piāo　duì　tōu　tào

(3) hè　lòu　nào　bāo　pào　tiē　zhī　ròu　rè　cāo

(4) dào　māo　nà　cài　zài　jiào　zhā　kāi　tà　sì

(5) xià　chà　diào　pī　bào　rào　gāo　kòu　gài　jī

三、生词　New words

1	你	（代）	nǐ	you
2	好	（形）	hǎo	good; fine
3	您	（代）	nín	you (respectful term)

| 4 | 再见 | （动） | zàijiàn | goodbye |

补充生词 **Supplementary new word**

1	一	（数）	yī	one
2	二	（数）	èr	two
3	三	（数）	sān	three
4	四	（数）	sì	four
5	五	（数）	wǔ	five
6	六	（数）	liù	six
7	七	（数）	qī	seven
8	八	（数）	bā	eight
9	九	（数）	jiǔ	nine
10	十	（数）	shí	ten

四、句型替换练习 Substitution drills of sentence patterns

你好！

您

对话

A：你好！

B：你好！

◎ 五、会话　Dialogues

A：你好！
Nǐ hǎo!

B：你好！
Nǐ hǎo!

A：再见！
Zàijiàn!

B：再见！
Zàijiàn!

小知识 Tip

汉字和汉语拼音 Chinese characters and *pinyin*

- 汉语的文字是汉字，汉语拼音是汉语拼写和注音的工具。

  Chinese characters are the Chinese written language. *Pinyin* can be used to help learners study and transcribe Chinese characters.

第二课　我是学生

Lesson 2　I am a student

一、核心句　Key sentences

2 我 是 学生。
Wǒ shì xuésheng.

I am a student.

3 他 是 老师。
Tā shì lǎoshī.

He is a teacher.

4 这 是 我 爷爷。
Zhè shì wǒ yéye.

This is my grandpa.

二、发音 Pronunciation

1 韵母 Finals

u ua uo uai ui (uei)
uan un (uen) uang

2 声母 Initials

zh ch sh r

>>> 注意：

Note：

zhi、chi、shi、ri 后的韵母不要读成 [i]。

–i in *zhi*, *chi*, *shi* and *ri* should not be pronounced as [i].

ch 是送气音，发音时，气流快速从舌尖与上腭之间冲出 (见下图)。

Ch is an aspirated sound. The air breaks through the tip of the tongue and the
upper palate quickly (see the following pictures).

zh

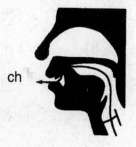

ch

3 声调 Tone

轻声

汉语里每个汉字都有自己的声调，但是有一些音节读得又轻又短，叫做轻声。轻声不标调号，例如 nǐmen、xièxie（见下图）。

The neutral tone

Every Chinese character has its own tone, but some syllables are uttered lightly and quickly. They are called the neutral tone. The neutral tone is not marked, e.g nǐmen, xièxie（see the following charts）.

第一声 + 轻声	第二声 + 轻声	第三声 + 轻声	第四声 + 轻声
1st tone+neutral tone	2nd tone+neutral tone	3rd tone+neutral tone	4th tone+neutral tone

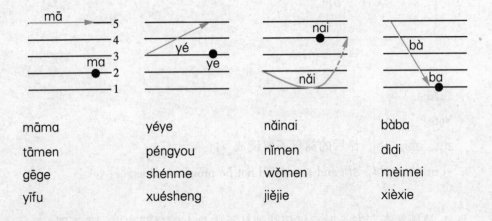

māma	yéye	nǎinai	bàba
tāmen	péngyou	nǐmen	dìdi
gēge	shénme	wǒmen	mèimei
yīfu	xuésheng	jiějie	xièxie

三、生词 New words

1	我	（代）	wǒ	I
	我们	（代）	wǒmen	we
2	是	（动）	shì	to be
3	学生	（名）	xuésheng	student; pupil

4	他	（代）	tā	he
	她	（代）	tā	she
	他们／她们	（代）	tāmen	they
5	弟弟	（名）	dìdi	younger brother
6	你们	（代）	nǐmen	you
7	吗	（助）	ma	(*part.*) *used at the end of a question*
8	老师	（名）	lǎoshī	teacher
9	爸爸	（名）	bàba	papa
10	妈妈	（名）	māma	mom
11	朋友	（名）	péngyou	friend
12	姐姐	（名）	jiějie	elder sister
13	这	（代）	zhè	this
15	那	（代）	nà	that
14	爷爷	（名）	yéye	(paternal) grandpa
16	奶奶	（名）	nǎinai	(paternal) grandma
17	哥哥	（名）	gēge	elder brother
18	妹妹	（名）	mèimei	younger sister
19	谢谢	（动）	xièxie	thank
20	不用谢		búyòng xiè	You are welcome.

四、句型替换练习 Substitution drills of sentence patterns

1
我　　是学生。
他
我弟弟
我们
他们
你们

对话

A：你是学生吗？
B：我是学生。

2
他　　是老师。
我爸爸
我妈妈
我朋友
她姐姐

对话

A：他是老师吗？
B：他是老师。

3
这是我爷爷。
那　　奶奶
　　爸爸
　　妈妈
　　哥哥
　　妹妹

对话

A：这是你爷爷吗？
B：这是我爷爷。

◎ 五、会话　Dialogues

A：你好，你是学生 吗?
Nǐ hǎo,　nǐ shì xuésheng ma?

B：是，我 是 学生。
Shì,　wǒ shì xuésheng.

A：他是老师 吗?
Tā shì lǎoshī ma?

B：他是老师。
Tā shì lǎoshī.

A：谢谢。
Xièxie.

B：不用 谢。
Búyòng xiè.

A：再见。
Zàijiàn.

B：再见。
Zàijiàn.

◎ 六、课文　Text

你好，这是我 朋友，她是 学生。这是我妈妈，
Nǐ hǎo,　zhè shì wǒ péngyou,　tā shì xuésheng. Zhè shì wǒ māma,

我 妈妈是老师。
wǒ māma shì lǎoshī.

七、语法　Grammar

用"吗"的疑问句　Interrogative sentences with "吗"

- 在陈述句的句尾加上助词"吗"，可以构成疑问句，例如：

  If a declarative sentence is followed by "吗", it becomes an interrogative sentence, e.g.

  (1) 你是学生吗？

  (2) 这是你爷爷吗？

Dì-sān Kè   Wǒ Xué Hànyǔ
第三课 我学汉语
Lesson 3   I study Chinese

一、核心句 Key sentences

5 我 很 忙。   I am very busy.
   Wǒ hěn máng.

6 你身体好吗?   How are you?
   Nǐ shēntǐ hǎo ma?

7 我学汉语。   I study Chinese.
   Wǒ xué Hànyǔ

二、发音 Pronunciation

1 声母 Initials

Z C S

>> 注意:

Note:

z、c、s 后面的元音不要读成 [i]。

–i in *zi, ci, si* should not be pronounced as [i] .

c 是送气音,发音时,气流快速从舌尖与上腭之间冲出(见下图)。

C is an aspirated sound. The air breaks through the tip of the tongue and the upper palate quickly(see the following pictures).

2 声调 Tones

(1) 三声连读 The third tone sandhi

当两个三声音节连在一起时,前一个读成第二声。(见下图)

When the third tone is followed by another third tone, it is pronounced in the second tone(see the following chart).

nǐhǎo	hěn hǎo	bǎoguǎn
shǒubiǎo	měihǎo	zhǎnlǎn
Běihǎi	liǎojiě	biǎoyǎn
xiǎojiě	yǒngyuǎn	zhǐhǎo

(2) 三声变调 Tonal modification of the third tone

当第三声在第一、二、四声和大部分轻声字前时，读成半三声，就是只读原来第三声的前一半降调。（见下图）

When the third tone is followed by the first, second, fourth tone or most of the neutral tones, it is pronounced in half third tone (see the following charts).

三声变调

① 三声 + 一声

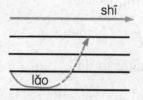

lǎoshī	Běijīng	Gǔbā
xiǎoshuō	zǔzhī	yǒuxiē
yǐjīng	yǎnchū	kǎchē
nǎxiē	mǔqīn	guǎngbō

② 三声 + 二声

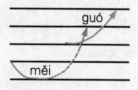

Měiguó	Fǎguó	jǐngchá
xiǎo Lín	yǎnyuán	bǐrú
biǎoyáng	jiǎnchá	qǔdé
yǔyán	shuǐpíng	wǎngqiú

③ 三声 + 四声

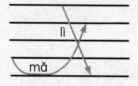

mǎlì	kǎoshì	zěnyàng
yǒuyì	yǐhòu	mǎhuì
tǐyù	nǔlì	mǎshàng
lǐwù	kěshì	hǎoxiàng

④ 三声 + 轻声

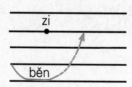

běnzi	jiějie	jiǎozi
nǎinai	yǐzi	zěnme
wǎnshang	nǎozi	bǎizhe

三、生词 New words

1	很	（副）	hěn	very
2	忙	（形）	máng	busy
3	身体	（名）	shēntǐ	body
4	学	（动）	xué	to learn; to study
5	汉语	（名）	Hànyǔ	Chinese (language)
6	做	（动）	zuò	to make; to do
7	作业	（名）	zuòyè	school assignment
8	写	（动）	xiě	to write
9	生词	（名）	shēngcí	new word
10	汉字	（名）	Hànzì	Chinese character
11	看	（动）	kàn	to look; to watch; to read
12	电视	（名）	diànshì	TV
13	听	（动）	tīng	to listen
14	音乐	（名）	yīnyuè	music
15	念	（动）	niàn	to read aloud
16	课文	（名）	kèwén	text
17	什么	（代）	shénme	what

补充生词 Supplementary new word

	说	（动）	shuō	to speak; to talk; to say

四、句型替换练习 Substitution drills of sentence patterns

1

我　　很忙。
他
我爸爸
我妈妈

| 对话 |
| A：你忙吗？ |
| B：我很忙。 |

2

你　　身体好吗？
你爸爸
你妈妈
你爷爷
你奶奶

| 对话 |
| A：你身体好吗？ |
| B：我身体很好，谢谢。 |

3

我学汉语。
做 作业
写 生词
写 汉字
看 电视
听 音乐
念 课文

| 对话 |
| A：你学什么？ |
| B：我学汉语。 |

◎ 五、会话　Dialogue

A：你好！
Nǐ hǎo!

B：你好！
Nǐ hǎo!

A：你学 什么？
Nǐ xué shénme?

B：我 学 汉语。
Wǒ xué Hànyǔ.

A：你写 汉字 吗？
Nǐ xiě Hànzì ma?

B：我 写 汉字。
Wǒ xiě Hànzì.

A：你念 课文 吗？
Nǐ niàn kèwén ma?

B：我 念 课文。
Wǒ niàn kèwén.

A：你听 什么？
Nǐ tīng shénme?

B：我 听 音乐。
Wǒ tīng yīnyuè.

◎ **六、课文**　Text

我 学 汉语。我 念 课文，我 写 汉字， 我 很 忙。
Wǒ xué Hànyǔ.　Wǒ niàn kèwén,　wǒ xiě Hànzì,　wǒ hěn máng.

我 哥哥 做 作业，　我 姐姐 写 生词，我 弟弟 看 电视，
Wǒ gēge zuò zuòyè,　wǒ jiějie xiě shēngcí,　wǒ dìdi kàn diànshì,

我 妹妹 听 音乐。
wǒ mèimei tīng yīnyuè.

这 是 我 爸爸，这 是 我 妈妈，他们 很 忙。
Zhè shì wǒ bàba,　zhè shì wǒ māma,　tāmen hěn máng.

那 是 我 爷爷，那 是 我 奶奶，他们 身体 很 好。
Nà shì wǒ yéye,　nà shì wǒ nǎinai,　tāmen shēntǐ hěn hǎo.

七、语法　Grammar

疑问代词 "什么"　The interrogative pronoun "什么"

● 用疑问代词 "什么" 可以表示询问，句子的语序不变。

The interrogative pronoun "什么" can be used after a verb to form a question, e.g.

(1) 你做什么？

(2) 这是什么？

(3) 你看什么电视？

小知识

- 中国有 56 个民族，汉语是汉族的语言，也是中国的主要语言。

  There are 56 nationalities in China, Chinese is the language of Han nationality and is also the main language of China.

- 汉语有很多方言，我们现在学习的是汉语普通话。普通话以北方方言为基础，以北京语音为标准音。

  There are many dialects in Chinese. It is common speech that we will learn. Common speech is based on the northern dialect with Beijing dialect as the standard pronuciation.

Dì-sì Kè   Jiàoshì Zài Nǎr

第四课　教室在哪儿

Lesson 4　Where is the classroom

一、核心句　Key sentences

8　我 在 学 校。

Wǒ zài xuéxiào.

I am at the school.

9　我 买 词 典。

Wǒ mǎi cídiǎn.

I bought a dictionary.

二、发音 Pronunciation

1 韵母 Finals

e er
ao—ou   uo—ou   ai—ei

2 儿化韵 *r*-ending retroflexion

er 有时和其他韵母结合成一个儿化的韵母，就是儿化韵。

The suffixation of *er* and other finals may form a suffixal final.

儿化的拼音写法是在原韵母之后加 r，汉字的写法是在原汉字的后面加"儿"如"花儿"、"画儿"。

The retroflex final is transcribed by adding −*r* to the original final. When we write Chinese characters, we add "儿" to a Chinese character, e. g. "花儿" (huār) and "画儿" (huàr).

朗读下列音节，注意 er 和儿化韵。

Read the following syllables and pay attention to *er* and the *r*-ending retroflexion.

(1) érzi   értóng   ěrjī   èryuè   ěrduo   nǚ'ér
(2) huàr   huār   nǎr   nàr   zhèr
(3) xiǎoháir   xiàohuar   yíkuàir   pínggàir
    kāi ménr   qù nǎr   qù wánr   chuángdānr

三、生词　New words

1	在	（动）	zài	to be (at, in or on a place)
2	学校	（名）	xuéxiào	school
3	商店	（名）	shāngdiàn	shop
4	家	（名）	jiā	home
5	办公室	（名）	bàngōngshì	office
6	教室	（名）	jiàoshì	classroom
7	这儿	（代）	zhèr	here
8	那儿	（代）	nàr	there
9	哪儿	（代）	nǎr	where
10	买	（动）	mǎi	to buy
11	词典	（名）	cídiǎn	dictionary
12	书	（名）	shū	book
13	本子	（名）	běnzi	notebook; exercise book
14	花儿	（名）	huār	flower
15	画儿	（名）	huàr	picture; painting
16	书店	（名）	shūdiàn	bookshop
17	儿子	（名）	érzi	son
18	女儿	（名）	nǚ'ér	daughter

四、句型替换练习　Substitution drills of sentence patterns

1

我	在学校。
他们	商店
我弟弟	家
老师	办公室
教室	这儿
办公室	那儿

对话

A：你在哪儿？

B：我在学校。

2

我	买词典。
他	书
我朋友	本子
我姐姐	花儿
我妹妹	画儿

对话

A：你买什么？

B：我买词典。

◎ 五、会话　Dialogues

A：你是 学生 吗？
Nǐ shì xuésheng ma?

B：我是 学生，我学汉语。
Wǒ shì xuésheng, wǒ xué Hànyǔ.

A：教室 在哪儿？
Jiàoshì zài nar?

B：教室 在这儿。
Jiàoshì zài zhèr.

A：办公室 在 哪儿？
Bàngōngshì zài nǎr?

B：办公室 在那儿。
Bàngōngshì zài nàr.

A：学生 在 哪儿？
Xuésheng zài nǎr?

B：学生 在教室。
Xuésheng zài jiàoshì.

A：老师在哪儿？
Lǎoshī zài nǎr?

B：老师 在 办公室。
Lǎoshī zài bàngōngshì.

六、课文　Text

这 是 书店，他儿子在 书店，他 买书，买 本子，
Zhè shì shūdiàn, tā érzi zài shūdiàn, tā mǎi shū, mǎi běnzi,

买 词典。
mǎi cídiǎn.

那是 商店，他女儿在 商店，她买 花儿，买 画儿。
Nà shì shāngdiàn, tā nǚ'ér zài shāngdiàn, tā mǎi huār, mǎi huàr.

这 是 学校，教室 在 这儿，办公室 在 那儿。
Zhè shì xuéxiào, jiàoshì zài zhèr, bàngōngshì zài nàr.

七、语法　Grammar

疑问代词"哪儿"　The interrogative pronoun "哪儿"

- 用"哪儿"可以询问地点，句子的语序不变。例如：

  The interrogative pronoun "哪儿" can be used to ask about a place and the word order is the same as that of an affirmative sentence, e.g.

  (1) 你在哪儿？
  (2) 教室在哪儿？

复习（一）
Revision（1）

一、**发音复习** Review of pronunciation

1. 四声练习 Tone exercise

ā	á	ǎ	à
mā	má	mǎ	mà
bā	bá	bǎ	bà
lā	lá	lǎ	là

2. 轻声练习 The neutral tone exercise

tā de	māma	shénme	zhúzi	xièxie	bàba
gēge	xiūxi	píqi	názhe	dìdi	tàidu
yīfu	duōshao	péngyou	míngbai	jiùjiu	hàichu
zhīshi	dōngxi	bízi	zhège	mèimei	yìsi

3. 三声连读 The third tone sandhi

lǎobǎn	kěyǐ	hǎojiǔ	guǎnlǐ	gǎnxiǎng	chǔlǐ
shǒubiǎo	zǒnglǐ	xǐzǎo	fěnbǐ	guǎngchǎng	
suǒyǐ	yěxǔ	gǔ zhǎng	hěn hǎo	lǐxiǎng	lǐngdǎo

4. 三声变调 Tonal modification of the third tone

(1) 三声 + 一声 ˇ + ˉ

yǐjīng	yǎnchū	kǎchē
nǎxiē	mǔqīn	guǎngbō

(2) 三声 + 二声　　˅ + ′

biǎoyáng　　　jiǎnchá　　　qǔdé

yǔyán　　　　shuǐpíng　　　wǎngqiú

(3) 三声 + 四声　　˅ + ˋ

tǐyù　　　　　nǔlì　　　　mǎshàng

lǐwù　　　　　kěshì　　　　hǎoxiàng

(4) 三声 + 轻声　　˅ + ˚

nǐmen　　　　wǒmen　　　hǎo ma

wǎnshang　　　nǎozi　　　bǎizhe

二、情景会话 Situational conversation

1. 问候 Greetings

A：你好。

B：你好。

A：你身体好吗？

B：我身体很好。

2. 询问 Making inquires

(1) A：你好，教室在哪儿？

B：教室在那儿。

A：办公室在哪儿？

B：办公室在这儿。

A：谢谢。

B：不用谢。

A：再见。

B：再见。

(2) A：你好，商店在哪儿？

　　B：商店在那儿。

　　A：你买什么？

　　B：我买本子。

三、口腔操练 Oral exercises

(1) 一、二、三、四、五、六、七、八、九、十

　　十、九、八、七、六、五、四、三、二、一

(2) 我爷爷　我奶奶　我爸爸　我妈妈

　　我哥哥　我姐姐　我弟弟　我妹妹

(3) 这是我爷爷，这是我奶奶，这是我爸爸，这是我妈妈，这是我哥哥，这是我姐姐，这是我弟弟，这是我妹妹。

(4) 你爷爷奶奶在哪儿？你爸爸妈妈在哪儿？你哥哥姐姐在哪儿？你弟弟妹妹在哪儿？

(5) 你做什么？他做什么？你们做什么？

四、复述课文 Retelling the text

(1) 我学汉语，我念课文，我写汉字，我很忙。

(2) 我哥哥做作业，我姐姐写生词，我弟弟看电视，我妹妹听音乐。

(3) 那是商店，他女儿在商店，她买花儿，买画儿。

(4) 这是学校，教室在这儿，办公室在那儿。

Dì-wǔ Kè   Wǒ Bú Kàn Diànyǐng

第五课　我不看电影

Lesson 5　I don't go to movies

一、核心句　Key sentences

10 现在 休息。
Xiànzài xiūxi.

It's time to rest.

11 我 不去 商店。
Wǒ bú qù shāngdiàn.

I won't go to the store.

12 我 看 电影，他 也 看
Wǒ kàn diànyǐng,　tā yě kàn

电影。
diànyǐng.

I go to movies, and he
goes to movies, too.

二、发音　Pronunciation

1　韵母 Finals

i　ia　iao　ie　iu　ian　in　iang　ing　iong
ü　üe　üan　ün

2　声母 Initials

j　q　x

（1）j 是不送气塞擦音，q 是送气塞擦音；x 是擦音。　（见下图）

J is an unaspirated sound and *q* is an aspirated sound, *x* is a fricative. (see the following pictures).

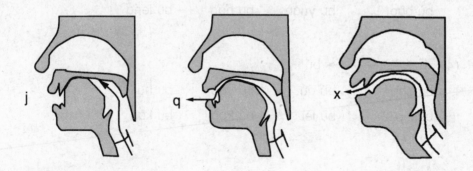

（2）ü 和以 ü 开头的韵母与 j、q、x 相拼时，上面的两点省去，例如：

When *ü* occurs with *j*, *q* or *x*, the two dots on top are omitted, e.g.

qù　jūn　xuán

3 声调 Tones

"不（bù）"的变调 Tonal modification of "不（bù）"

"不（bù）"单用或在一、二、三声前读第四声 bù，在第四声前边时读第二声 bú。例如：bù gān、bù lái、bù hǎo、bú qù。

When "不" is used alone or in front of the 1st, 2nd, or 3rd tone, it is read in the 4th tone. When it is used in front of the 4th tone, it is read in the 2nd tone, e.g. bù gān, bù lái, bù hǎo, bú qù.

(1) 不 + ˉ ⟶ bù + ˉ

| bù chī | bù hē | bù shuō | bù tīng |
| bù duō | bù hēi | bù xīn | bù zāng |

(2) 不 + ˊ ⟶ bù + ˊ

| bù lái | bù huí | bù xué | bù xíng |
| bù cháng | bù nán | bù bái | bù lán |

(3) 不 + ˇ ⟶ bù + ˇ

| bù pǎo | bù zhǎo | bù xiě | bù dǒng |
| bù bǎo | bù yuǎn | bù hǎo | bù lěng |

(4) 不 + ˋ ⟶ bú + ˋ

| bú shì | bú qù | bú yào | bú huì |
| búcuò | bú lèi | bú kuài | bú kàn |

三、生词　New words

1	现在	（名）	xiànzài	now
2	休息	（动）	xiūxi	to have a break
3	上课		shàng kè	to attend a class; class begins
4	下课		xià kè	after class; class is over
5	去	（动）	qù	to go
6	不	（副）	bù	no; not
7	电影	（名）	diànyǐng	film
8	也	（副）	yě	also
9	学习	（动）	xuéxí	to study; to learn
10	都	（副）	dōu	all
11	对不起	（动）	duìbuqǐ	sorry
12	知道	（动）	zhīdao	to know
13	不谢		bú xiè	don't mention it; not at all
14	男	（形）	nán	male
15	同学	（名）	tóngxué	classmate; schoolmate
16	女	（形）	nǚ	female

补充生词　Supplementary new words

1	厕所	（名）	cèsuǒ	restroom
2	录音		lù yīn	recording

四、句型替换练习 Substitution drills of sentence patterns

1 现在休息。

上课
下课
去教室
写汉字

对话

A：现在做什么？

B：现在休息。

2 我不去商店。

教室
书店

对话

A：你去商店吗？

B：我不去商店。

3 我看电影，他也看电影。

去商店　　　　去商店
学习汉语　　　学习汉语
在学校　　　　在学校

对话

A：你看电影，他也看电影吗？

B：我看电影，他也看电影，我们都看电影。

五、会话　Dialogues

（一）

A：你好，你学习 汉语 吗？
Nǐ hǎo,　nǐ xuéxí　Hànyǔ ma?

B：我 学习 汉语。
Wǒ xuéxí　Hànyǔ.

A：他也学习汉语 吗？
Tā yě xuéxí Hànyǔ ma?

B：对不起，我 不知道。
Duìbuqǐ,　wǒ bù zhīdào.

A：教室 在哪儿？
Jiàoshì zài　nǎr?

B：教室 在那儿。
Jiàoshì zài　nàr.

A：谢谢。
Xièxie.

B：不 谢。
Bú xiè.

（二）

A：你看 电影 吗？
Nǐ kàn diànyǐng ma?

B：对不起，我 很 忙，我不看 电影。
Duìbuqǐ,　wǒ hěn máng, wǒ bú kàn diànyǐng.

A：再见。
Zàijiàn.

B：再见。
Zàijiàn.

 六、课文　Text

（一）

我 学习汉语，他也学习汉语。我们 都 学习 汉语。
Wǒ xuéxí Hànyǔ,　tā yě xuéxí Hànyǔ.　Wǒmen dōu xuéxí Hànyǔ.

（二）

现在 下课，我们 休息。男 同学 听 音乐，女 同学
Xiànzài xià kè,　wǒmen xiūxī.　Nán tóngxué tīng yīnyuè,　nǚ tóngxué

去 商店。
qù shāngdiàn.

（三）

我 爸爸不在家，我 妈妈 也 不在家，他们 都 不在家。
Wǒ bàba bú zài jiā,　wǒ māma yě bú zài jiā,　tāmen dōu bú zài jiā.

七、语法　Grammar

动词谓语句的否定形式　The negative form of verb predicate sentences

● 动词谓语句的一种否定形式是在动词前加上副词 "bù (不)"，表示 "不经常"、"不愿意"、"将不" 等意思。例如：
The adverb "不" may be used in front of a verb to negate the sentence, meaning "seldom", "unwilling" or "will not", e.g.

（1）他不在家。
（2）他不是老师。
（3）我不去商店。

Dì-liù Kè　　Wǒ Yǒu Yí Ge Gēge
第六课　我有一个哥哥
Lesson 6　I have an elder brother

一、核心句　Key sentences

13　我 有 一个 本子。
Wǒ yǒu yí ge　běnzi.

I have a notebook.

14　他有　两 张 地图。
Tā yǒu liǎng zhāng dìtú.

He has two maps.

15　你买 哪一本词典？
Nǐ mǎi nǎ yì běn cídiǎn?

Which dictionary do you
want to buy?

16　我 有 一 个 姐姐,
Wǒ yǒu yí　ge　jiějie,

两 个 弟弟。
liǎng ge　dìdi.

I have an elder sister and
two younger brothers.

二、发音　Pronunciation

1　声母　Initials

汉语的送气音和不送气音有区别意义的作用。

There are aspirated and unaspirated sounds in Chinese. Their differences result in different meanings.

b—p　　　　d—t　　　　g—k

z—c　　　　zh—ch　　　j—q

例如：

For example：

bà (father) ——pà (to be afraid of)　　　dī (to drop) ——tī (to kick)

gē (song) ——kē (subject)　　　　　　　zhǐ (paper) ——chǐ (ruler)

jì (to bear in mind) ——qì (air)

2　声调　Tones

"一 (yī)" 的变调　Tonal modification of "一 (yī)"

"一"的原声调是第一声 (yī)，单用或者用做序数时读原调。在第一、二、三声前读第四声，在第四声前读第二声。例如：

"一" is read in the 1st tone when it is used alone or as an ordinal number. However, it is read in the 4th tone when it is used in front of the 1st, 2nd or 3rd tone, and in the 2nd tone when it is used in front of the 4th tone.

(1) yī　　　　　　　　　　yī　shíyī　dì-yī　yīyuè　yī céng

(2) 一 + ˉ ——→ yì + ˉ　　yì zhāng　yìbiān　yì jīn　yìbān

　　　　　　　　　　　　　yìshēng　yì tiān　yì gēn　yìxiē

(3) 一 + ˊ ——→ yì + ˊ　　yìshí　yìzhí　yìqí　yìlián

　　　　　　　　　　　　　yìtóng　yì tóu　yìxíng　yì mén

(4) 一 + ˇ ——→ yì + ˇ　　yìdiǎnr　yì liǎng　yìlǎn　yìqǐ

yì shǒu　yìzǎo　yì bǎ　yì zhǒng

(5) 一 + ˋ ——→ yí + ˋ　　yí kuài　yíbàn　yí dài　yí kè

yígài　yíguàn　yídìng　yízài

三、生词　New words

1	有	（动）	yǒu	to have
2	个	（量）	gè	a measure word used before a noun having no particular classifier
3	本	（量）	běn	a measure word for books etc.
4	把	（量）	bǎ	a measure word for tools with a handle
5	椅子	（名）	yǐzi	chair
6	支	（量）	zhī	a measure word for long, thin, inflexible objects
7	笔	（名）	bǐ	pen; pencil; writing brush
8	几	（代）	jǐ	how many; how much
9	两	（数）	liǎng	two
10	张	（量）	zhāng	sheet(a measure word)
11	地图	（名）	dìtú	map
12	桌子	（名）	zhuōzi	table; desk

13	床	（名）	chuáng	bed
14	报纸	（名）	bàozhǐ	newspaper
15	哪	（代）	nǎ	which
16	纸	（名）	zhǐ	paper
17	书包	（名）	shūbāo	schoolbag; satchel
18	人	（名）	rén	human being; person; people
19	和	（连）	hé	and

四、句型替换练习　Substitution drills of sentence patterns

1　我有一个本子。

本 书
把 椅子
支 笔

对话

A：你有几个本子？
B：我有一个本子。

2　他有两张地图。

桌子
床
画儿
报纸

对话

A：他有几张地图？
B：他有两张地图。

3 你买哪一本词典?

个 书包

张 地图

把 椅子

支 笔

对话

A：你买哪一本词典?

B：我买这一本词典。

4 我有一个姐姐，两个弟弟。

张 桌子　　把 椅子

个 本子　　本 书

张 纸　　　支 笔

对话

A：你有几个姐姐，

几个弟弟？

B：我有一个姐姐，

两个弟弟。

 五、会话　Dialogues

（一）

A：你家有几个人?

Nǐ jiā yǒu jǐ ge rén?

B：我 家有 五个人。

Wǒ jiā yǒu wǔ ge rén.

A：你 有几个弟弟?

Nǐ yǒu jǐ ge dìdi?

B：我 有 一个弟弟。
Wǒ yǒu yí ge dìdi.

A：你有 妹妹 吗？
Nǐ yǒu mèimei ma?

B：我 有 一个 妹妹。你家有几个人？
Wǒ yǒu yí ge mèimei. Nǐ jiā yǒu jǐ ge rén?

A：我 家也有 五 个人。我爷爷，我 奶奶，我
Wǒ jiā yě yǒu wǔ ge rén. Wǒ yéye, wǒ nǎinai, wǒ

爸爸，我妈妈 和我。
bàba, wǒ māma hé wǒ.

（二）

A：你去哪儿？
Nǐ qù nar?

B：我 去 商店。
Wǒ qù shāngdiàn.

A：你买 什么？
Nǐ mǎi shénme?

B：我 买一支笔、两 个 本子。
Wǒ mǎi yì zhī bǐ、 liǎng ge běnzi.

A：你买 书包 吗？
Nǐ mǎi shūbāo ma?

B：我 有书包，我不买 书包。
Wǒ yǒu shūbāo, wǒ bù mǎi shūbāo.

 六、课文　Text

(一)

我家有八个人，我爸爸、我妈妈和我，我有一个
Wǒ jiā yǒu bā ge rén,　wǒ bàba,　wǒ māma hé wǒ,　wǒ yǒu yí ge

哥哥、两个姐姐、一个弟弟、一个妹妹。
gēge,　liǎng ge jiějie,　yí ge dìdi,　yí ge mèimei.

(二)

现在我去商店。我买一个书包、两支笔、三个
Xiànzài wǒ qù shāngdiàn. Wǒ mǎi yí ge shūbāo,　liǎng zhī bǐ,　sān ge

本子。
běnzi.

七、语法　Grammar

(一)　量词　Measure words

- 汉语里如果一个名词前面有数词，一般要在数词和名词中间加上量词。
例如：

In Chinese, if a noun is preceded by a numeral, a measure word is usually

used in between, e.g.

(1) 我有五支笔。（不能说"我有五笔。"）

(2) 他买两张画儿。（不能说"他买两画儿。"）

● 每个名词都有自己特定的量词。例如，"本"是"书"、"杂志"、"词典"等的量词；"支"是"笔"、"铅笔"等的量词，"张"是"地图"、"桌子"、"报纸"、"纸"等的量词；"个"是"学生"、"教室"、"朋友"等的量词。"个"是应用范围最广的一个量词。

In Chinese, each noun has its specific measure word, e.g. "本"is the measure word for "书","杂志"and "词典";"支" for "笔";"张" for "地图", "桌子","报纸"and "纸"; and "个" for "学生","教室"and "朋友". "个" is the most widely used measure word.

量词与名词搭配表

数词	量词	名　　词
一	个	学生　老师　同学　朋友　人 哥哥　姐姐　弟弟　妹妹 教室　学校　办公室 汉字　书包　本子
两	本	书　词典
三	把	椅子
四	支	笔
五	张	桌子　床 纸　画儿　地图　报纸

（二）"两"和"二" "两" and "二"

● "两"和"二"都表示"2"这个数目，在量词前用"两"不用"二"。例如：

Both"两" and "二" refer to number "2", but"两" instead of "二" is used before a measure word, e.g.

两个学生　　　两张纸

Dì-qī Kè   Tā Méiyǒu Dìdi

第七课 他没有弟弟

Lesson 7   He doesn't have a younger brother

一、核心句 Key sentences

17 请问，有咖啡吗？
Qǐngwèn, yǒu kāfēi ma?

Excuse me, do you have coffee?

18 我不喝茶。
Wǒ bù hē chá.

I don't drink tea.

19 请问，你要哪一种
Qǐngwèn, nǐ yào nǎ yì zhǒng

饮料？
yǐnliào?

Excuse me, what kind of beverage do you want?

20 这位 先生，您要
Zhè wèi xiānsheng, nín yào

什么？
shénme?

Sir, what are you going to have?

21 你要咖啡吗？
Nǐ yào kāfēi ma?

Would you like some coffee?

二、发音 Pronunciation

韵母 Finals

an—ang　　en—eng　　in—ing

ong—iong　uan—un　　üan—ün

三、生词 New words

1	请问	（动）	qǐngwèn	excuse me
2	咖啡	（名）	kāfēi	coffee
3	啤酒	（名）	píjiǔ	beer
4	可乐	（名）	kělè	coke
5	水	（名）	shuǐ	water
	矿泉水	（名）	kuàngquánshuǐ	mineral water
6	牛奶	（名）	niúnǎi	milk
7	没有	（动）	méiyǒu	have (has) not; there is (has)/are not
8	喝	（动）	hē	to drink
9	茶	（名）	chá	tea
10	要	（动）	yào	to want
11	种	（量）	zhǒng	kind; variety
12	饮料	（名）	yǐnliào	drink

13	位	（量）	wèi	*a measure word used to refer to people*
14	先生	（名）	xiānsheng	Mr. (mister)
15	小姐	（名）	xiǎojie	Miss
16	杯	（名）	bēi	cup, glass; cupful, glassful
17	请	（动）	qǐng	to request; to ask; please
18	进	（动）	jìn	to enter
	请进		qǐng jìn	Come in, please.
19	坐	（动）	zuò	to sit
	请坐		qǐng zuò	Please sit down.
20	还	（副）	hái	still; also; as well; in addition
21	一共	（副）	yígòng	in all; altogether

四、句型替换练习　Substitution drills of sentence patterns

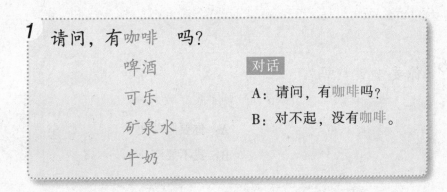

1 请问，有 咖啡 吗？

啡酒
可乐
矿泉水
牛奶

对话

A：请问，有咖啡吗？
B：对不起，没有咖啡。

2 我不喝茶。

咖啡

矿泉水

牛奶

啤酒

可乐

对话

A：你喝茶吗？

B：我不喝茶。

3 请问，你要哪一种饮料？

牛奶

咖啡

啤酒

茶

对话

A：请问，你要哪一种饮料？

B：我要这一种饮料。

4 这位先生，您要什么？

小姐

同学

对话

A：这位先生，您要什么？

B：我要一杯咖啡。

5 你要咖啡 吗？

牛奶

啤酒

矿泉水

对话

A：你要咖啡吗？

B：我不要咖啡。

 五、会话　Dialogues

（一）

A：这位 先生，请进。
Zhè wèi xiānsheng, qǐng jìn.

B：好。
Hǎo.

A：您请 坐。
Nín qǐng zuò.

B：请问，你们 有这 种 茶吗?
Qǐngwèn, nǐmen yǒu zhè zhǒng chá ma?

A：有，我们 有这 种 茶。
Yǒu, wǒmen yǒu zhè zhǒng chá.

B：我要这 种　茶。
Wǒ yào zhè zhǒng chá.

A：好。请 喝茶。
Hǎo. qǐng hē chá.

B：谢谢。
Xièxie.

（二）

A：这个　商店 有咖啡吗?
Zhège shāngdiàn yǒu kāfēi ma?

B：没有 咖啡。
Méiyǒu kāfēi.

A：有 茶 吗?
Yǒu chá ma?

B：也 没有 茶。
Yě méiyǒu chá.

A：他们 有 什么 饮料？
Tāmen yǒu shénme yǐnliào?

B：他们 有啤酒。你喝啤酒吗？
Tāmen yǒu píjiǔ.　Nǐ hē píjiǔ ma?

A：我 不喝啤酒。
Wǒ bù hē píjiǔ.

 六、课文　　Text

（一）

他有一个哥哥，还 有 两个姐姐。他没有弟弟，也
Tā yǒu yí ge gēge,　hái yǒu liǎng ge jiějie. Tā méiyǒu dìdi,　yě

没有 妹妹。他 哥哥是 学生，他姐姐也是 学生。他们
méiyǒu mèimei.　Tā　gēge shì xuésheng, tā jiějie　yě shì xuésheng. Tāmen

家一共 有四个 学生。
jiā yígòng　yǒu　sì ge xuésheng.

（二）

这 是 商店，这个 商店 有啤酒，有牛奶，有
Zhè shì shāngdiàn, zhège shāngdiàn yǒu píjiǔ,　yǒu niúnǎi,　yǒu

咖啡，还 有茶。这不是 书店，没有书，也 没有 词典。
kāfēi,　hái yǒu chá. Zhè bú shì shūdiàn, méiyǒu shū,　yě méiyǒu cídiǎn.

七、语法 Grammar

"有"的否定 Negative form of "有"

● 动词"有"的否定形式是在"有"前加副词"没",而不是"不"。例如:

The negative form of the verb "有" (to have/has; to possess) is to add "没" instead of "不" in front of "有", e.g.

(1) 他没有姐姐。

(2) 这个商店没有咖啡。

● 否定时,名词前不能有数量词,例如:

A measure word cannot be used before a noun in the negative form of "有", e.g.

(3) 他没有姐姐。 (不能说"他没有一个姐姐。")

Dì-bā Kè　Nín Guìxìng

第八课　您贵姓

Lesson 8　What is your surname

一、核心句　Key sentences

22　我　姓_____。
Wǒ xìng_____.

My surname is____.

23　我 叫_____。
Wǒ jiào_____.

My name is ____ .

24　她是 中国人。
Tā shì Zhōngguórén.

She is Chinese.

25　他在北京 学习。
Tā zài Běijīng xuéxí.

He studies in Beijing.

二、发音 Pronunciation

1 韵母 Finals

uan — un— uang　i—ü　ie—üe

2 声母 Initials

z — zh — j　r—l　f—p

三、生词 New words

1	姓	（动）	xìng	surname
	贵姓	（名）	guìxìng	May I know your surname?
2	叫	（动）	jiào	to call
3	名字	（名）	míngzi	name
4	国	（名）	guó	country
5	外国	（名）	wàiguó	foreign country
6	食堂	（名）	shítáng	dining hall; canteen
7	吃	（动）	chī	to eat
8	饭	（名）	fàn	meal; cooked rice
9	大	（形）	dà	big
10	大学	（名）	dàxué	college; university

11	大学生	（名）	dàxuéshēng	university/college student
12	中学	（名）	zhōngxué	middle/secondary school
13	小学	（名）	xiǎoxué	primary school
14	东西	（名）	dōngxi	thing

专有名词　Proper nouns

1	张		Zhāng	a Chinese surname
2	李		Lǐ	a Chinese surname
3	王兰		Wáng Lán	name of a person
4	明明		Míngming	name of a person
5	中国		Zhōngguó	China
6	美国		Měiguó	the United States
7	日本		Rìběn	Japan
8	韩国		Hánguó	the Republic of Korea
9	北京		Běijīng	Beijing
10	汉语		Hànyǔ	Chinese（language）

补充生词　Supplementary new word

| 1 | 中学生 | （名） | zhōngxuéshēng | middle/secondary school student |
| 2 | 小学生 | （名） | xiǎoxuéshēng | pupil |

注释　Note

　　"贵姓"是很客气的问话，只用于第二人称"您"或"你"。第三人称时说："他（她）姓什么？"、"你朋友姓什么？"等。

　　"贵姓" is a polite way to ask the surname of the other party and is only used in the second person. "他（她）姓什么？" "你朋友姓什么？" is used in the third person.

四、句型替换练习　Substitution drills of sentence patterns

1

我	姓	_____。
他		张
老师		王
这位先生		李

对话

A：您贵姓？/他姓什么？

B：我姓_____。/他姓_____。

2

我	叫	_____。
我朋友		王兰
她		明明
我弟弟		_____

对话

A：你叫什么名字？

B：我叫_____。

3

她		是中国人	。
我		外国	
我朋友		美国	
她		日本	

> 对话
>
> A：她是哪国人？
>
> B：她是韩国人。

4

他		在北京学习。
他		商店买东西
我爸爸	家	休息
我们	食堂	吃饭
我姐姐	大学	学习

> 对话
>
> A：他在哪儿学习？
>
> B：他在北京学习。

◎ 五、会话　Dialogues

（一）

A：**你好！**
Nǐ hǎo!

B：**你好！**
Nǐ hǎo!

A：**您 贵姓？**
Nín guìxìng?

B：**我 姓_____。**
Wǒ xìng_____.

A：**您 叫 什么 名字？**
Nín jiào shénme míngzi?

B：**我 叫_____。**
Wǒ jiào_____.

（二）

A：她在哪儿学习？
　　Tā zài nǎr xuéxí?

B：她在北京 学习，她是 大学生。
　　Tā zài Běijīng xuéxí,　tā shì dàxuéshēng.

A：她哥哥 也在 北京 学习吗？
　　Tā gēge yě zài Běijīng xuéxí ma?

B：她哥哥不在 北京学习。她哥哥在 美国 学习。
　　Tā gēge bú zài Běijīng xuéxí.　Tā gēge zài Měiguó xuéxí.

A：她弟弟 妹妹 在 哪儿 学习？
　　Tā dìdi mèimei zài nǎr xuéxí?

B：她弟弟在 中学 学习，她 妹妹 在 小学 学习。
　　Tā dìdi zài zhōngxué xuéxí,　tā mèimei zài xiǎoxué xuéxí.

六、课文　Text

（一）

我 姓_____，叫_____。我是_____
Wǒ xìng_____,　jiào_____.　Wǒshì_____

人，我在_____学习，我学习汉语。
rén,　wǒzài_____ xuéxí,　wǒ xuéxí Hànyǔ.

（二）

我们 在教室 上 课，在 食堂 吃饭，在 商店 买
Wǒmen zài jiàoshì shàng kè,　zài shítáng chī fàn,　zài shāngdiàn mǎi

东西。我们 不在 学校 休息，我们 在家休息。
dōngxi.　Wǒmen bú zài xuéxiào xiūxi,　wǒmen zài jiā xiūxi.

七、语法 Grammar

介词结构（1）"在……"   The prepositional structure (1) "在……"

● "在……" 在动词前边做状语。在否定句中，副词 "不" 放在介词结构的前边。例如：

The prepositional structure composed of the preposition "在" and its object are used as an adverbial before the verb. In the negative form, the adverb "不" is used before the structure.

(1) 我在学校学习汉语。

(2) 我朋友也在北京学习。

(3) 我不在教室做作业。

复习 (二)
Revision (2)

一、发音复习　Review of pronunciation

1. 声调练习　Practice tones

(1) lǎoshī　　　Běijīng　　　yǐjīng　　　mǔqīn

　　　Měiguó　　　Fǎguó　　　jǐngchá　　　yǔyán

　　　kǎoshì　　　kěshì　　　zěnyàng　　　mǎshàng

　　　wǎnshang　　nǎozi　　　jiějie　　　jiǎozi

(2) bù chī　　　bù hē　　　bù shuō　　　bù tīng

　　　bù lái　　　bù huí　　　bù xué　　　bùxíng

　　　bù hǎo　　　bù lěng　　　bù xiě　　　bù dǒng

　　　bú shì　　　bú qù　　　bú yào　　　bú huì

(3) shíyī　　　dì-yī　　　yīyuè　　　yīcéng

　　　yì tiān　　　yì jīn　　　yì iē　　　yì zhāng

　　　yìzhí　　　yì nián　　　yìlián　　　yìtóng

　　　yìdiǎnr　　　yìqǐ　　　yì zhǒng　　　yì bǎ

　　　yí kuài　　　yíbàn　　　yídìng　　　yí jiàn

(4) qū – qù　　　xiǎo – xiào　　　chī – chí

　　　mài – mǎi　　　zuò – zuō　　　péng – pèng

　　　gǎo – gào　　　èr – ér　　　sháo – shǎo

2. 声韵母练习　Exercises in intials and finals

(1) zuō – cuò　　　　chī – shì

　　　sān – cān　　　　qǐ – jǐ

xiān – qiān	xué – jué
céng – chéng	sā – xiā
qī – cī	shà – xià
(2) qì – cì – chì	xī – sī – shī
qiā – cā – chā	qiè – cè – chè
xiǎo – sǎo – shǎo	xiū – sū – shū
chè –sè – shè	sǎ – zǎ
jǔ – qǔ – xǔ	shēng – zhēng – chēng

二、量词与名词搭配练习 Collocations of nouns and their measure words

例：老师：教室
　　学生：一个教室

词典	画儿	办公室	椅子	笔	地图	同学
汉字	桌子	妹妹	咖啡	学生	书	书包
朋友	人	床	老师	本子	报纸	房间
啤酒						

三、情景会话 Situational conversations

1. 询问 Making inquiries

A：请问，教室在哪儿？

B：对不起，我不知道。

A：办公室在哪儿？

B：办公室在那儿。

A：谢谢。

B：不谢。

2. 找人 Looking for a person

      A：请问，李老师在办公室吗?

      B：她不在办公室。

      A：张老师在办公室吗?

      B：他也不在办公室。

      A：他们在哪儿?

      B：对不起，我不知道。

3. 介绍 Making introductions

  （1）A：你好。

        B：你好。

        A：我姓_____，我叫_____。

        B：我姓_____，我叫_____。

        A：你是中国人吗?

        B：我不是中国人，我是_____人。

        A：我是_____人。

        B：这是我朋友，她叫_____。

  （2）A：这是我哥哥。你有哥哥吗?

        B：我没有哥哥，我有一个姐姐。

        A：那是我弟弟。你有弟弟吗?

        B：我也没有弟弟，我有一个妹妹。

        A：我家有五个人，我爸爸、我妈妈、我哥哥、我弟弟和我。

        B：我家也有五个人，我爸爸、我妈妈、我姐姐、我妹妹和我。

4. 购物 Shopping

      A：你们有地图吗?

      B：有，你要什么地图?

A：我要一张北京地图。

B：我们有两种北京地图，你要哪一种？

A：我要这一种。

5. 喝饮料　Having a drink

A：你喝茶吗？

B：我不喝茶。

A：你喝咖啡吗？

B：我也不喝咖啡。

A：你喝什么？

B：我喝啤酒。

A：我们没有啤酒。

B：你们还有什么？

A：我们还有可乐。

B：我喝可乐。

四、口腔操练　Oral exercises

(1) 我很忙，我不看电影；他也很忙，他也不看电影；我们都很忙，我们都不看电影。

(2) 我有一个哥哥，一个姐姐，一个弟弟，一个妹妹。他也有一个哥哥，一个姐姐，一个弟弟，一个妹妹。我们都有一个哥哥，一个姐姐，一个弟弟，一个妹妹。

(3) 我买一张北京地图，他也买一张北京地图，我们买两张北京地图。

(4) 我哥哥在大学学习，我姐姐也在大学学习。我弟弟在中学学习，我妹妹在小学学习。

(5) 这个房间没有人，那个房间也没有人，这两个房间都没有人。

(6) 这个商店没有牛奶，那个商店也没有牛奶，这两个商店都没有牛奶。

五、复述课文 Retelling the text

(1) 现在下课，我们休息。男同学听音乐，女同学去商店。

(2) 我爸爸不在家，他在办公室。我妈妈也不在家，她在商店买东西。

(3) 他去商店。他买一个书包、两支笔、三个本子。他女朋友也去商店，她买一张画儿。

(4) 我姓＿＿＿＿＿，叫＿＿＿＿＿。我是＿＿＿＿＿人，我在＿＿＿＿＿学习，我学习汉语。

(5) 我们在教室上课，在食堂吃饭，在商店买东西。我们在家休息，我们不在学校休息。

Dì-jiǔ Kè   Nǐ Xǐhuan Chī Shénme

第九课　你喜欢吃什么

Lesson 9　What do you like to eat

一、核心句　Key sentences

26 早饭 我 吃 面包。
Zǎofàn wǒ chī miànbāo.

I eat bread for breakfast.

27 我 中午去 食堂
Wǒ zhōngwǔ qù shítáng
吃 饭。
chī fàn.

I'm going to have lunch
in the cafeteria at noon.

28 中午 我在 食堂 吃 饭。
Zhōngwǔ wǒ zài shítáng chī fàn.

I have lunch in the
cafeteria.

29 我 喜欢 吃 饺子。
Wǒ xǐhuan chī jiǎozi.

I like eating dumplings.

二、生词　New words

1	早饭	（名）	zǎofàn	breakfast
2	面包	（名）	miànbāo	bread
3	午饭	（名）	wǔfàn	lunch
4	饺子	（名）	jiǎozi	dumpling
5	晚饭	（名）	wǎnfàn	supper
6	米饭	（名）	mǐfàn	cooked rice
7	早上	（名）	zǎoshang	(early) morning
8	中午	（名）	zhōngwǔ	noon
9	餐厅	（名）	cāntīng	dining hall; restaurant
10	晚上	（名）	wǎnshang	evening
11	饭馆儿	（名）	fànguǎnr	restaurant
12	喜欢	（动）	xǐhuan	to like
13	包子	（名）	bāozi	steamed stuffed bun
14	贵	（形）	guì	expensive
15	便宜	（形）	piányi	inexpensive; cheap
16	常常	（副）	chángcháng	often
17	好吃	（形）	hǎo chī	delicious
18	菜	（名）	cài	dish; vegetable
19	每	（代）	měi	every
20	天	（名）	tiān	day

| 21 | 上午 | （名） | shàngwǔ | morning |
| 22 | 下午 | （名） | xiàwǔ | afternoon |

三、句型替换练习　Substitution drills of sentence patterns

1 早饭我吃面包。

午饭　　饺子
晚饭　　米饭

对话

A：早饭你吃什么？
B：早饭我吃面包。

2 我早上去食堂　吃饭。

中午　餐厅
晚上　饭馆儿

对话

A：你中午去哪儿吃饭？
B：我中午去食堂吃饭。

3 中午我在食堂　吃饭。

早上　　餐厅
晚上　　饭馆儿

对话

A：中午你在哪儿吃饭？
B：中午我在食堂吃饭。

4 我喜欢吃饺子。

他　　吃包子
我　　喝咖啡

对话

A：你喜欢吃什么？
B：我喜欢吃饺子。

 **四、会话** Dialogues

（一）

A： 你去 哪儿 吃饭?
Nǐ qù　nǎr　chī fàn?

B： 我 去 食堂 吃饭。
Wǒ qù shítáng　chī fàn.

A： 在 哪儿 吃饭 贵? 在 哪儿 吃饭 便宜?
Zài nǎr　chī fàn guì? Zài nǎr　chī fàn piányi?

B： 在 食堂 吃 饭 便宜。在 饭馆儿 吃饭贵。
Zài shítáng chī fàn　piányi.　Zài fànguǎnr　chī fàn guì.

A： 在 餐厅 吃 饭 贵吗?
Zài cāntīng chī fàn guì ma?

B： 在 餐厅 吃 饭 不贵。
Zài cāntīng chī fàn bú guì.

（二）

B： 你 每 天 去哪儿 吃饭?
Nǐ měi tiān　qù nǎr　chī fàn?

A： 我 常常 去食堂吃饭。
Wǒ chángcháng qù　shítáng chī fàn.

B： 你 喜欢 吃 什么?
Nǐ xǐhuan chī　shénme?

A： 我 常常 吃包子 和 饺子。
Wǒ chángcháng chī bāozi　hé　jiǎozi.

B： 我 也 喜欢 吃 饺子, 饺子很 好 吃。
Wǒ yě xǐhuan chī jiǎozi,　jiǎozi hěn hǎo chī.

五、课文　Text

(一)

学校 有一个 食堂，老师和 学生 都在 食堂 吃
Xuéxiào yǒu yí ge shítáng,　lǎoshī hé xuésheng dōu zài shítáng chī

饭。早上 食堂有 面包 和牛奶。中午 有包子 和
fàn. Zǎoshang shítáng yǒu miànbāo hé niúnǎi. Zhōngwǔ yǒu bāozi hé

饺子。 晚上 有米饭和菜。
jiǎozi.　Wǎnshang yǒu mǐfàn hé cài.

(二)

王 兰 每天 上午 在教室 上课，中午 在食堂
Wáng Lán měi tiān shàngwǔ zài jiàoshì shàng kè, zhōngwǔ zài shítáng

吃 饭。下午她 没有 课，她在家 做 作业。 晚上 她
chī fàn.　Xiàwǔ tā méiyǒu kè,　tā zài jiā zuò zuòyè.　Wǎnshang tā

常常 在家看电视、听 音乐。
chángcháng zài jiā kàn diànshì、 tīng yīnyuè.

六、语法　Grammar

时间状语的位置　Position of time adverbials

● 表示时间的名词、数量词组做状语，可以放在谓语之前，也可以放在
主语之前。例如：

The nouns and numeral classifier compound phrases denoting time are time
adverbials, which can be put in front of the predicate or the subject, e.g.

(1) 你中午在哪儿吃饭？
(2) 中午你在哪儿吃饭？

第十课　这是谁的书

Lesson 10　Whose book is this

一、核心句　Key sentences

30 这是老师的书。
Zhè shì lǎoshī de shū.

This is the teacher's book.

31 她是这家医院的护士。
Tā shì zhè jiā yīyuàn de hùshi.

She is a nurse in this hospital.

32 我找王兰和明明。
Wǒ zhǎo Wáng Lán hé Míngming.

I'm looking for Wang Lan and Mingming.

33 我们的教室在这个
Wǒmen de jiàoshì zài zhège

楼的二层。
lóu de èr céng.

Our classroom is on the second floor of this building.

二、生词　New words

1	的	(助)	de	(part.) used with an adjective or attribute phrase
2	手机	(名)	shǒujī	cell phone; mobile phone
3	电脑	(名)	diànnǎo	computer
4	谁	(代)	shéi	who
5	医院	(名)	yīyuàn	hospital
6	护士	(名)	hùshi	nurse
7	医生	(名)	yīshēng	doctor
8	找	(动)	zhǎo	to look for
9	大夫	(名)	dàifu	doctor
10	楼	(名)	lóu	building
11	层	(量)	céng	a measure word for storeys and floors
12	中医	(名)	zhōngyī	traditional Chinese medicine
13	西医	(名)	xīyī	Western medicine
14	对	(形)	duì	right; correct
15	认识	(动)	rènshi	to know
16	家	(量)	jiā	a measure word for hospitals, companies, etc.
17	多	(形)	duō	many; much
18	工作	(名、动)	gōngzuò	job; to work

补充生词　Supplementary new word

| 少 | （形） | shǎo | little; few |

三、句型替换练习　Substitution drills of sentence patterns

1 这是老师的书。

他	笔
我	手机
王兰	电脑

对话

A：这是谁的书？

B：这是老师的书。

2 她是这家医院的护士。

这家医院	医生
我们学校	老师
那个学校	学生

对话

A：她是谁？

B：她是这家医院的护士。

3 我找王兰和明明。

张老师	王老师
大夫	护士
我的笔	我的手机

对话

A：你找谁/什么？

B：我找王兰和明明。

4 我们的教室在这个楼的二层。

中医	三
西医	四

对话

A：你们的教室在这个楼的几层？

B：我们的教室在这个楼的二层。

 四、会话　Dialogue

A：谁 是 大夫？
Shéi shì dàifu?

B：他 是 大夫。
Tā shì dàifu.

A：他是 什么 大夫？
Tā shì shénme dàifu?

B：他是西医 大夫。
Tā shì xīyī dàifu.

A：她们 是 护士 吗？
Tāmen shì hùshi ma?

B：对，她们 是 护士。
Duì, tāmen shì hùshi.

A：他是 谁？
Tā shì shéi?

B：这个 人 我 不认识。
Zhège rén wǒ bú rènshi.

◎ 五、课文　Text

医院
Yīyuàn

这是一家医院。这家医院 有 很 多西医大夫, 还有
Zhè shì yì jiā yīyuàn. Zhè jiā yīyuàn yǒu hěn duō xīyī dàifu, hái yǒu

很 多 中医 大夫。 这个楼 的 一层、 二层、 三层 是
hěn duō zhōngyī dàifu. Zhège lóu de yī céng、 èr céng、 sān céng shì

西医, 四层 和 五层 是 中医。我 有 一 个 朋友, 她
xīyī, sì céng hé wǔ céng shì zhōngyī. Wǒ yǒu yí ge péngyou, tā

在 这儿 工作, 她是 这家 医院 的护士。
zài zhèr gōngzuò, tā shì zhè jiā yīyuàn de hùshi.

六、语法　Grammar

(一) 特指疑问句　Special questions

● 用疑问代词 "谁"、"什么"、"哪儿"、"哪"、"几"、"多少" 等提问
时, 提问句子的哪个成分, 就把疑问代词放在那个成分的位置上。汉
语中疑问代词不一定要放在句首。例如:

In an interrogative sentence, an interrogative pronoun, "谁", "什么", "哪
儿", "哪", "几" or "多少", should be put in the position of the element
being asked about. In Chinese, interrogative pronouns are not necessarily
put at the beginning of the sentence, e.g.

(1) 他是谁?

(2) 这是谁的词典?

(3) 谁是北京医院的大夫?

（二）定语和结构助词 "的"　Attributes and the particle "的"

- 名词前边表示修饰、限制的成分是定语。被修饰、限制的名词叫中心语。定语和中心语之间通常要加结构助词 "的"。例如：

  An attribute is put before a noun to modify it. The noun modified is called the head word. The attribute and the head word are usually linked by the structural particle "的", e.g.

  (1) 我的老师
  (2) 这个学校的学生
  (3) 这是谁的书？

Dì-shíyī Kè　Zhè Jiàn Yīfu Zěnmeyàng

第十一课　这件衣服怎么样

Lesson 11　What do you think of this garment

一、核心句　Key sentences

34 这 件 衣服很 好看。

Zhè jiàn yīfu hěn hǎokàn.

This garment looks very nice.

35 这 件毛衣太大，不合适。

Zhè jiàn máoyī tài dà,　bù héshì.

This sweater is too big. It doesn't suit you.

36 那件 蓝 毛衣颜色 非常

Nà jiàn lán máoyī yánsè fēicháng

好看。

hǎokàn.

The color of that blue sweater is very nice.

37 这 件 毛衣 不大也不

Zhè jiàn máoyī bú dà yě bù

小，非常 合适。

xiǎo, fēicháng héshì.

This sweater is neither big nor small. It just suits you.

二、生词 New words

1	件	（量）	jiàn	*a measure word for coats, jackets, etc.*
2	衣服	（名）	yīfu	clothes
3	好看	（形）	hǎokàn	good-looking
4	条	（量）	tiáo	*a measure word for trousers, skirts, etc.*
5	大衣	（名）	dàyī	coat
6	裤子	（名）	kùzi	trousers
7	不错	（形）	búcuò	not bad; good
8	毛衣	（名）	máoyī	sweater
9	合适	（形）	héshì	suitable; appropriate
10	上衣	（名）	shàngyī	jacket
11	怎么样	（代）	zěnmeyàng	how
12	太	（副）	tài	too
13	长	（形）	cháng	long
14	短	（形）	duǎn	short
15	蓝	（形）	lán	blue
16	样子	（名）	yàngzi	look; appearance
17	非常	（副）	fēicháng	very
18	黑	（形）	hēi	black
19	颜色	（名）	yánsè	color

20	白	（形）	bái	white
21	长短	（名）	chángduǎn	length
22	红	（形）	hóng	red
23	大小	（名）	dàxiǎo	size
24	黄	（形）	huáng	yellow
25	各	（代）	gè	each; every; various
	各种		gè zhǒng	various kinds
26	比较	（副）	bǐjiào	rather

三、句型替换练习　Substitution drills of sentence patterns

1 这件衣服**很**好看。

条 裤子　不错
件 毛衣　合适
件 上衣　贵

对话

A：这件衣服怎么样？
B：这件衣服**很**好看。

2 这件大衣**太**大，不合适。

条 裤子　长
件 衣服　短
件 衣服　小

对话

A：这件大衣合适吗？
B：这件大衣**太**大，不合适。

3 那件蓝毛衣样子非常好看。

黑	颜色	不错
白	长短	合适
红	大小	合适

对话

A：那件蓝毛衣颜色
怎么样？

B：那件蓝毛衣颜色
非常好看。

4 这件毛衣不大也不小，非常合适。

条裤子	长	短
件衣服	大	小

对话

A：这件毛衣合适吗？

B：这件毛衣不大也不小，
非常合适。

◎ 四、会话　Dialogues

（一）

A：你 喜欢 什么 颜色 的衣服？
　 Nǐ xǐhuan shénme yánsè de yīfu?

B：我 喜欢 红 的、蓝 的、白 的衣服。
　 Wǒ xǐhuan hóng de、 lán de、 bái de yīfu.

A：你 不 喜欢 黄 颜色 的衣服吗？
　 Nǐ bù xǐhuan huáng yánsè de yīfu ma?

B：黄 颜色的衣服不 好看。
　 Huáng yánsè de yīfu bù hǎokàn.

(二)

A：这件 衣服怎么样？
Zhè jiàn yīfu zěnmeyàng?

B：这 件衣服样子不 好看。
Zhè jiàn yīfu yàngzi bù hǎokàn.

A：这 条裤子怎么样？
Zhè tiáo kùzi zěnmeyàng?

B：这 条 裤子 长短 不合适。
Zhè tiáo kùzi chángduǎn bù héshì.

A：大小 合适 吗？
Dàxiǎo héshì ma?

B：大小 也 不合适，太大。
Dàxiǎo yě bù héshì, tài dà.

A：这件 毛衣 样子 很不错，颜色 也很 好看。
Zhè jiàn máoyī yàngzi hěn búcuò, yánsè yě hěn hǎokàn.

B：对，我 也 很 喜欢。
Duì, wǒ yě hěn xǐhuan.

 五、课文 Text

买衣服
Mǎi Yīfu

那儿有一家大 商店，有各 种 样子的衣服，衣服
Nàr yǒu yì jiā dà shāngdiàn, yǒu gè zhǒng yàngzi de yīfu, yīfu

的颜色 很 多。
de yánsè hěn duō.

我不喜欢 红 的、黄 的 衣服。红 颜色的花儿和
Wǒ bù xǐhuan hóng de、huáng de yīfu. Hóng yánsè de huār hé

黄 颜色的 花儿 很 好看，红 颜色的衣服和 黄
huáng yánsè de huār hěn hǎokàn, hóng yánsè de yīfu hé huáng

颜色的衣服不 好看，我 不 买 这 种 衣服。
yánsè de yīfu bù hǎokàn, wǒ bù mǎi zhè zhǒng yīfu.

这件衣服样子 很 好看，大小 很 合适，颜色也
Zhè jiàn yīfu yàngzi hěn hǎokàn, dàxiǎo hěn héshì, yánsè yě

不错，比较 便宜，我 非常 喜欢。
búcuò, bǐjiào piányi, wǒ fēicháng xǐhuan.

六、语法　Grammar

(一) 形容词谓语句　Adjectival predicate sentences

- 形容词做谓语的句子叫形容词谓语句，汉语中这种句子没有动词。例如：

  A sentence in which an adjective serves as the predicate is called an adjectival predicate sentence. In Chinese, no verb is needed in such a sentence.

  (1) 这个教室很大。（不能说 "* 这个教室是很大。"）

  (2) 这件衣服很好看。

- 肯定式一般是在形容词前加 "很"，或者 "比较"、"非常" 等副词，这时 "很" 已经不表示程度。形容词前如果没有 "很"、"非常" 等就有比较的意思。例如：

In an affirmative sentence, "很"or an adverb such as "比较","非常" is usually put in front of the adjective, but here "很" does not indicate degree. If there is no "很" before the adjective, the sentence implies a comparison, e.g.

(3) 这个房间大，那个房间小。

● 否定形式是在形容词前加 "不"。例如：

In a negative sentence, "不" is put before the adjective, e.g.

(4) 这件衣服不贵。

(5) 这种样子不好。

(6) 这个食堂的包子不好吃。

(二) 用 "怎么样" 提问　Asking questions with "怎么样"

● "……怎么样" 常用来询问别人的意见。例如：

"……怎么样" is often used to seek the opinion of others, e.g.

(1) 这个菜怎么样？

(2) 那家饭馆儿怎么样？

Dì-shí'èr Kè   Qí Zìxíngchē Lèi Bu Lèi

第十二课　骑自行车累不累

Lesson 12   Is it tiring to ride a bicycle

一、核心句　Key sentences

38 这些 汉字难 不 难？
Zhèxiē hànzì nán bu nán?

Are these Chinese characters difficult?

39 明天　你骑不骑自行车？
Míngtiān nǐ qí bu qí zìxíngchē?

Will you ride the bicycle tommorrow?

40 你爸爸 是不是 大夫？
Nǐ bàba shì bu shì dàifu?

Is your father a doctor?

41 今天 我 不去 朋友 那儿。
Jīntiān wǒ bú qù péngyou nàr.

I will not call on my friend today.

42 你有 没有 姐姐？
Nǐ yǒu méiyǒu jiějie?

Do you have an elder sister?

二、生词　New words

1	些	（量）	xiē	some
2	难	（形）	nán	difficult
3	漂亮	（形）	piàoliang	pretty; beautiful
4	好玩儿	（形）	hǎowánr	interesting; amusing; fun
5	坐	（动）	zuò	to sit; to take a (bus, metro, train, etc.)
6	公交车	（名）	gōngjiāochē	bus
7	方便	（形）	fāngbiàn	convenient
8	骑	（动）	qí	to ride
9	自行车	（名）	zìxíngchē	bicycle
10	累	（形）	lèi	tired
11	明天	（名）	míngtiān	tomorrow
12	带	（动）	dài	to bring
13	照相机	（名）	zhàoxiàngjī	camera
14	回	（动）	huí	to return
15	今天	（名）	jīntiān	today
16	玩儿	（动）	wánr	to play; to have fun
17	公园	（名）	gōngyuán	park
18	照相		zhào xiàng	to take a photo
19	时候	（名）	shíhou	when
20	……里		…lǐ	in...

21	远	（形）	yuǎn	far
22	地方	（名）	dìfang	place
23	近	（形）	jìn	near
24	辆	（量）	liàng	a measure word for cars, bicycles, buses, etc.
25	大家	（代）	dàjiā	everybody; everyone
26	一起	（副）	yìqǐ	together

补充生词　Supplementary new word

| | 容易 | （形） | róngyì | easy |

三、句型替换练习　Substitution drills of sentence patterns

1　这些汉字难　　**不难**?

那件衣服漂亮　　漂亮

那个地方好玩儿　　好玩儿　　对话

坐公交车方便　　方便　　A：这些汉字难**不**难?

骑自行车累　　累　　B：这些汉字**比较**难。

2　明天你**骑不骑**自行车?

带　带照相机　　对话

回　回家　　A：明天你**骑不骑**自行车?

去　去朋友那儿　　B：明天我**不**骑自行车。

3　你爸爸是不是大夫？

你妈妈	老师
他	你的朋友

对话

A：你爸爸是不是大夫？

B：我爸爸不是大夫。

4　今天我不去朋友　那儿。

老师

我姐姐

对话

A：今天你去不去朋友那儿？

B：今天我不去朋友那儿。

5　你有没有姐姐？

哥哥

自行车

照相机

对话

A：你有没有姐姐？

B：我有一个姐姐。

◎ 四、会话　Dialogues

（一）

A：你　常常　去哪儿玩儿？
Nǐ chángcháng qù nǎr wánr?

B：我　常常　去　公园　玩儿。
Wǒ chángcháng qù gōngyuán wánr.

A：公园　好玩儿 不好玩儿？
Gōngyuán hǎowánr bu hǎowánr?

B：这儿的　公园　很 不错。
Zhèr de gōngyuán hěn búcuò.

A：你喜欢 不 喜欢 照 相？
Nǐ xǐhuan bu xǐhuan zhào xiàng?

B：我 很喜欢 照 相，我 有 照相机。
Wǒ hěn xǐhuan zhào xiàng, wǒ yǒu zhàoxiàngjī.

（二）

A：不上　课 的 时候 你们 去 哪儿玩儿？
Bú shàng kè de shíhou nǐmen qù nǎr wánr?

B：我们 去 城 里玩儿。
Wǒmen qù chéng li wánr.

A：你们 坐 公交车 去 吗？
Nǐmen zuò gōngjiāochē qù ma?

B：去 远 的 地方 坐 公交车，去近的地方
Qù yuǎn de dìfang zuò gōngjiāochē, qù jìn de dìfang

我们 骑自行车。
wǒmen qí zìxíngchē.

A：骑自行车 累不累？
Qí zìxíngchē lèi bu lèi?

B：比较累。
Bǐjiào lèi.

五、课文　Text

我有一辆自行车
Wǒ yǒu yí liàng zìxíngchē

不 上 课 的 时候，我们　常常　去 城 里玩儿。
Bú shàng kè de shíhou, wǒmen chángcháng qù chéng li wánr.

城　里 好玩儿的 地方 很 多。
Chéng li hǎowánr de dìfang hěn duō.

我 的 朋友在 城 里工作，我　常常　去 朋友
Wǒ de péngyou zài chéng li gōngzuò, wǒ chángcháng qù péngyou

那儿。大家 一起去 商店，一起去 公园。我 有一 辆
nàr. Dàjiā yìqǐ qù shāngdiàn, yìqǐ qù gōngyuán. Wǒ yǒu yí liàng

自行车，去 近的 地方 我们 骑自行车。去 远 的 地方
zìxíngchē, qù jìn de dìfang wǒmen qí zìxíngchē. Qù yuǎn de dìfang

骑车 太累，大家 都 坐 公交车，坐 公交车 也 很
qí chē tài lèi, dàjiā dōu zuò gōngjiāochē, zuò gōngjiāochē yě hěn

方便。
fāngbiàn.

六、语法　Grammar

正反疑问句　Affirmative-negative questions

● 把谓语的肯定式和否定式并列起来，可以构成疑问句，这种疑问句叫正反疑问句。例如：

An interrogative sentence can be formed by paralleling the affirmative and negative forms of the predicate. Such a question is called an affirmative-negative question, e.g.

(1) 他<u>是不是</u>老师?

(2) 你<u>有没有</u>电脑?

(3) 你<u>喝不喝</u>咖啡?

(4) 这种颜色<u>好看不好看</u>?

(5) 你<u>喜欢不喜欢</u>喝咖啡?

(6) 你<u>要不要</u>休息?

复习 (三)
Revision (3)

一、量词与名词搭配练习

Exercise in collocations of nouns and their measure words

例：老师：我带照相机。

学生：我带一个照相机。

(1) 他是医生。 (2) 我买自行车。

(3) 我买裤子。 (4) 我有红毛衣。

(5) 他姐姐是护士。 (6) 我喝咖啡。

(7) 这儿有公交车。 (8) 那儿有饭馆。

(9) 我要面包。 (10) 我有手机。

(11) 我喝水。 (12) 我买菜。

二、正反疑问句练习 Ask affirmative-negative questions

例：老师：他是医生。

学生：他是不是医生？

(1) 我有一辆自行车。 (2) 我喝咖啡。

(3) 我去餐厅。 (4) 今天我带一个照相机。

(5) 我有一个电脑。 (6) 这是一家医院。

(7) 这个菜很好吃。 (8) 骑自行车很累。

(9) 这条裤子不合适。 (10) 她是这家医院的护士。

(11) 我们吃饺子。 (12) 他喜欢看电影。

(13) 这家饭馆儿很贵。 (14) 晚上我在家。

(15) 我要可乐。 (16) 这是我们的教室。

(17) 那个公园很远。　　(18) 老师在办公室。

(19) 他很忙。　　(20) 这个人我认识。

(21) 这件衣服很好看。　　(22) 她是王兰。

(23) 我非常喜欢。　　(24) 这些生词很容易。

　　　　　　　　　　　　　　（用"难"提问）

(25) 这是我的手机。　　(26) 他的女朋友很漂亮。

(27) 坐公交车很方便。　　(28) 现在我回家。

(29) 骑自行车很好玩儿。　　(30) 晚上食堂没有牛奶和面包。

三、情景会话　Situational conversation

1. 询问吃饭的地方 Asking about the place to eat

A：请问，这儿有食堂吗？

B：有，这儿有一家食堂，还有一家饭馆儿。

A：食堂的菜贵不贵？

B：食堂的菜比较便宜。

A：饭馆儿的菜贵吗？

B：饭馆儿的菜比较贵。

A：哪儿的菜好吃？

B：饭馆儿的菜比较好吃。

2. 买衣服 Shopping for clothes

A：这件衣服样子怎么样？

B：样子很不错。

A：颜色好看不好看？

B：颜色很好看。

A：大小合适吗？

B：大小也很合适。

A：这件衣服贵不贵？

B：不太贵。

3. 去城里玩儿 Going to town to have fun

A：我去城里玩儿，你去不去？

B：我也去。

A：你有没有自行车？

B：我没有自行车。

A：我们坐公交车。

B：坐公交车方便不方便？

A：坐公交车也很方便。

4. 去医院 Going to the hospital

A：请问，哪儿有医院？

B：那儿有一家医院。

A：那家医院有中医吗？

B：有中医也有西医。

A：那儿的中医大夫怎么样？

B：那儿的中医大夫很不错。

5. 聊天 Having a chat

A：你喜欢不喜欢红颜色的衣服？

B：红颜色的衣服很好看，我喜欢。

A：你喜欢不喜欢蓝颜色的衣服？

B：蓝颜色的衣服也不错，我也喜欢。

A：黑颜色的衣服你喜欢不喜欢？

B：黑颜色的衣服我不喜欢。

四、口腔操练　Oral exercises

(1) A：这个菜好吃不好吃？那个菜好吃不好吃？这两个菜好吃不好吃？

B：这个菜不好吃，那个菜也不好吃，这两个菜都不好吃。

(2) 我的教室在这个楼的二层，他的教室在这个楼的三层，我们的教室在这个楼的二层和三层。

(3) 张先生是这家医院的医生，李小姐是这家医院的护士，他们是这家医院的医生和护士。

(4) 这件衣服颜色怎么样？那件衣服颜色怎么样？这两件衣服颜色怎么样？

(5) 这件毛衣样子很不错，那件毛衣样子也很不错，这两件毛衣样子都很不错。

(6) 我喜欢红颜色的衣服，她也喜欢红颜色的衣服，我们都喜欢红颜色的衣服。

我不喜欢白颜色的衣服，她也不喜欢白颜色的衣服，我们都不喜欢白颜色的衣服。

(7) 今天你带不带照相机？今天他带不带照相机？今天你们带不带照相机？

(8) 今天我不回家，明天我也不回家，这两天我都不回家。

(9) A：早上你在哪儿吃早饭？中午你在哪儿吃午饭？晚上你在哪儿吃晚饭？

B：早上我在家吃早饭。中午我在食堂吃午饭。晚上我也在食堂吃晚饭。

五、复述课文　Retelling the texts

(1) 学校有一个食堂，老师和学生都在食堂吃饭。早上食堂有面包和牛奶。中午有包子和饺子。晚上有米饭和菜。食堂的菜不贵，中午人很多。

(2) 这是一家医院，这家医院有很多西医大夫，还有很多中医大夫。这个楼的一层、二层、三层是西医，那个楼的四层和五层是中医。我有一个朋友，她在这儿工作，她是这家医院的护士。

(3) 那儿有一家很大的商店，有各种样子的衣服，衣服的颜色很多。这件衣服样子很好看，大小很合适，颜色也不错，我非常喜欢。那条裤子颜色和样子都不错，我也很喜欢。我买这一件衣服和这一条裤子。

(4) 我的朋友在城里工作，我常常去朋友那儿。我们一起去商店，一起去公园。我们都有自行车，去近的地方我们骑自行车。去远的地方骑车太累，我们坐公交车，坐公交车也很方便。

Dì-shísān Kè　Yì Jīn Píngguǒ Duōshao Qián

第十三课　一斤苹果多少钱

Lesson 13　How much are the apples per *jin*

43 学校　附近有一个　市场。
Xuéxiào fùjìn yǒu yí ge shìchǎng.

There is a market near the school.

44 一斤 苹果 四块 八 毛 钱。
Yì jīn píngguǒ sì kuài bā máo qián.

The apples are 4 *kuai* 8 *mao* per *jin*.

45 鸡蛋三 块 三 一斤，找
Jīdàn sān kuài sān　yì jīn,　zhǎo

你六 块七。
nǐ liù kuài qī.

The eggs are 3 *kuai* 3 *mao* per *jin*. Here is your change, 6 *kuai* 7 *mao*.

46 上衣 一百二十块　钱，
Shàngyī yìbǎi　èrshí kuài qián,

裤子八十块　钱，一共
kùzi　bāshí kuài qián, yígòng

二百 块 钱。
èrbǎi　kuài qián.

The jacket is 120 *kuai*, the trousers 80 *kuai*, and 200 *kuai* in total.

二、生词　New words

1	附近	（名）	fùjìn	near; nearby
2	市场	（名）	shìchǎng	market
3	斤	（量）	jīn	*jin* (half a kilogram)
4	苹果	（名）	píngguǒ	apple
5	块	（量）	kuài	*kuai*, equivalent to *yuan* (used in colloquial expressions)
6	毛	（量）	máo	*mao*, a monetany unit of China, equal to one tenth of *yuan* (used in colloquial expressions)
7	钱	（名）	qián	money
8	香蕉	（名）	xiāngjiāo	banana
9	元	（量）	yuán	*yuan*, a monetary unit of China
10	公斤	（量）	gōngjīn	kilogram
11	土豆	（名）	tǔdòu	potato
12	西红柿	（名）	xīhóngshì	tomato
13	多少	（代）	duōshao	how many; how much
14	鸡蛋	（名）	jīdàn	egg
15	找（钱）	（动）	zhǎo (qián)	to give change

16	肉	（名）	ròu	meat
17	百	（数）	bǎi	hundred
18	价钱	（名）	jiàqian	price
19	最	（副）	zuì	most
20	白菜	（名）	báicài	Chinese cabbage
21	卖	（动）	mài	to sell
22	蔬菜	（名）	shūcài	vegetable
23	水果	（名）	shuǐguǒ	fruit
24	想	（动、能动）	xiǎng	to think; to wish; to hope

补充生词　Supplementary new words

1	人民币	（名）	rénmínbì	RMB, Chinese currency
	人民	（名）	rénmín	people
	币		bì	money; currency
	分	（量）	fēn	*fen*, a monetany unit of china, equal to one tenth of *jiao*
2	梨	（名）	lí	pear
3	葡萄	（名）	pútao	grape
4	西瓜	（名）	xīguā	watermelon
5	草莓	（名）	cǎoméi	strawberry
6	橘子	（名）	júzi	orange
7	桃子	（名）	táozi	peach

8	黄瓜	（名）	huángguā	cucumber
9	菜花	（名）	càihuā	cauliflower
10	洋葱	（名）	yángcōng	onion
11	萝卜	（名）	luóbo	radish; turnip
12	胡萝卜	（名）	húluóbo	carrot
13	生菜	（名）	shēngcài	lettuce
14	零	（数）	líng	zero
15	青椒	（名）	qīngjiāo	green pepper
16	蘑菇	（名）	mógu	mushroom
17	千	（数）	qiān	thousand

注释 Note

"2" 在钱数中的念法 Ways to read "2" in money

1.25 元—— 一 块 两 毛 五 (分) / 一 块 二 毛 五 (分)

yí kuài liǎng máo wǔ (fēn) / yí kuài èr máo wǔ (fēn)

2.22 元—— 两 块 两 毛 二 (分)

liǎng kuài liǎng máo èr (fēn)

0.22 元—— 两 毛 二 (分)

liǎng máo èr (fēn)

0.20 元—— 两 毛

liǎng máo

0.02 元—— 两 分 / 二 分

liǎng fēn / èr fēn

大声朗读 Read aloud

1. 读出下列数字 Read the following numbers

56	34	105	71	275	100
396	570	99	15	69	101
741	602	840	77	999	888

2. 读出下列钱数 Read the following amount of money

70.00 元	85.45 元	17.23 元	8.14 元	3.90 元
1.25 元	0.20 元	2.22 元	0.50 元	36.00 元
57.20 元	2.88 元	10.10 元	455.00 元	135.55 元
269.40 元	783.70 元	509.50 元	919.27 元	800.50 元

三、句型替换练习　Substitution drills of sentence patterns

1 学校附近有一个市场。

　　　　书店

　　　　饭馆儿

　　　　医院　　对话

A：学校附近有没有市场？

B：有，学校附近有一个市场。

2

一斤　苹果　四块八毛钱。

一斤　香蕉　7.00 元

一公斤 土豆 5.00 元

一公斤 西红柿 6.50 元

对话

A：一斤苹果多少钱？

B：一斤苹果四块八毛钱。

3

鸡蛋三块三　一斤，找你六块七。

肉　13.50 元　斤　　6.50 元

本子2.00 元　个　　3.00 元

毛衣228.00 元　件　　72.00 元

对话

A：鸡蛋多少钱一斤？

B：鸡蛋三块三一斤，找你六块七。

4

上衣　一百二十块钱，裤子八十块钱，一共二百块钱。

苹果　12.00 元　香蕉10.00 元　　22.00 元

西红柿5.00 元　土豆 5.00 元　　10.00 元

词典　80.00 元　地图10.00 元　　90.00 元

对话

A：上衣和裤子一共多少钱？

B：上衣一百二十块钱，裤子八十块钱，一共二百块钱。

 四、会话 Dialogues

（一）

A: 你 常常 去哪儿买 东西？
Nǐ chángcháng qù nǎr mǎi dōngxi?

B: 我 常常 去学校 附近的 市场 买东西。
Wǒ chángcháng qù xuéxiào fùjìn de shìchǎng mǎi dōngxi.

A: 市场 的东西 贵 不贵？
Shìchǎng de dōngxi guì bu guì?

B: 市场 的东西 比较 便宜。
Shìchǎng de dōngxi bǐjiào piányi.

A: 一斤 苹果 多少 钱？
Yì jīn píngguǒ duōshao qián?

B: 一斤 苹果 五块 五。
Yì jīn píngguǒ wǔ kuài wǔ.

（二）

A: 一斤 西红柿 多少 钱？
Yì jīn xīhóngshì duōshao qián?

B: 一斤西红柿 两 块 五毛钱。
Yì jīn xīhóngshì liǎng kuài wǔ máo qián.

A: 鸡蛋 多少 钱一 斤？
Jīdàn duōshao qián yì jīn?

B: 鸡蛋 三 块 五一斤。
Jīdàn sān kuài wǔ yì jīn.

A: 什么 菜 价钱 最 便宜？
Shénme cài jiàqian zuì piányi?

B: 最 便宜的蔬菜 是白菜。
Zuì piányi de shūcài shì báicài.

五、课文　Text

去市场买东西
Qù Shìchǎng Mǎi Dōngxi

学校 附近有 一个 市场，那儿卖 鸡蛋、蔬菜 和
Xuéxiào fùjìn yǒu yí ge shìchǎng, nàr mài jīdàn、shūcài hé

水果。很 多 人都去 市场 买 东西，市场 的 东西
shuǐguǒ. Hěn duō rén dōu qù shìchǎng mǎi dōngxi, shìchǎng de dōngxi

价钱比较 便宜。一斤西红柿 两 块 钱，一斤鸡蛋三
jiàqián bǐjiào piányi. Yì jīn xīhóngshì liǎng kuài qián, yì jīn jīdàn sān

块 五。白菜一块 五一斤，最便宜的蔬菜 是 白菜。
kuài wǔ. Báicài yí kuài wǔ yì jīn, zuì piányi de shūcài shì báicài.

我不 想买蔬菜，也不 想 买鸡蛋，我 想 买
Wǒ bù xiǎng mǎi shūcài, yě bù xiǎng mǎi jīdàn, wǒ xiǎng mǎi

水果。水果 也不贵，香蕉 三 块钱 一斤，苹果 三
shuǐguǒ. Shuǐguǒ yě bú guì, xiāngjiāo sān kuài qián yì jīn, píngguǒ sān

块 五 一斤。
kuài wǔ yì jīn.

六、语法 Grammar

(一) 一千以下的称数法 Numbers under one thousand

● 汉语一千以下的称数法如下：

Ways to read the numbers under one thousand：

零	一		二	三	四	五	六	七	八	九
十	十一		十二	十三	十四	十五	十六	十七	十八	十九
二十	二十一	……								二十九
……										……
九十	九十一	……								九十九
一百	一百零一	……								一百零九
一百一十	一百一十一	……								一百一十九
一百二十										……
……										
九百九十	九百九十一	……								九百九十九
一千										

(二) 钱的计算 Calculation of money

● 人民币的单位是：元、角 (jiǎo)、分，但是在口语里常说：块、毛、分。例如：

The units of RMB are *yuan*, *jiao* and *fen*, but in spoken Chinese, *kuai*, *mao* and *fen* are used instead, e.g.

两元四角五分（2.45 元）念做：两块四毛五（分）。

五十七元二角（57.20 元）念做：五十七块两毛//五十七块二。

十八元零五分（18.05 元）念做：十八块零五（分）。

最后一位的量词常省去不说。如果只是"元（块）"、"角（毛）"、"分"一个单位，口语中常在最后加上一个"钱"字。例如：

In spoken Chinese, the last unit word is often omitted. If there is only a unit such as "元(块)", "角(毛)" or "分", "钱" is often added at the end of the sentence, e.g.

三十六块（钱）/ 五毛（钱）/ 五分（钱）

（三）用"几"和"多少"提问 Asking questions with "几" and "多少"

"几"和"多少"都用来询问数量，估计被问的数量在1~10之间时，用"几"来问；估计在10以上或者更多时，就用"多少"来问。例如：

Both "几" and "多少" are used to ask about the quantity, but "几" is used when the numbers estimated is 10 or less than 10, while "多少" is used when the number estimated is 10 or more than 10, e.g.

(1) 他们家有几个人？

(2) 你们学校有多少学生？

(3) 这台电脑多少钱？

"几"和名词之间必须有量词，例如：

There must be a measure word between "几" and the noun it modifies, e.g.

"几斤苹果"不能说"几苹果"。

"几块钱"不能说"几钱"。

● "多少"和名词之间可以有量词，也可以没有量词，但是不用量词的情况更多。

A measure word can be used between "多少" and a noun. However, in most cases, it is omitted.

"多少斤苹果"和"多少苹果"都可以，"多少块钱"和"多少钱"都可以。

第十四课　你的毛衣是红的还是白的
Lesson 14　Is your sweater red or white

一、核心句　Key sentences

47 我 的 毛衣 不是 红 的，
Wǒ de máoyī bú shì hóng de,

是 白 的。
shì bái de.

My sweater is not red, but white.

48 你们　上午　上 课
Nǐmen shàngwǔ shàng kè

还是 下午 上 课?
háishi xiàwǔ shàng kè?

Do you have classes in the morning or in the afternoon?

49 这些 书 是 你 的 还是
Zhèxiē shū shì nǐ de háishi

他 的?
tā de?

Are these books yours or his?

50 你 住 一 层 还是 二 层?
Nǐ zhù yī céng háishi èr céng?

Do you live on the first floor or the second floor?

二、生词 New words

1	这样	(代)	zhèyàng	in this way; such; like this; so
2	那样	(代)	nàyàng	like that; of that kind
3	还是	(连)	háishi	or
4	有的	(代)	yǒude	some
5	住	(动)	zhù	to live
6	用	(动)	yòng	to use
7	台	(量)	tái	*a measure word for machines*
8	宿舍	(名)	sùshè	dormitory
9	自己	(代)	zìjǐ	self
10	租	(动)	zū	to rent
11	房子	(名)	fángzi	house; flat
12	房租	(名)	fángzū	rent(for a flat)
13	电视机	(名)	diànshìjī	TV; TV set
14	冰箱	(名)	bīngxiāng	refrigerator
15	但是	(连)	dànshì	but
16	房东	(名)	fángdōng	owner and lessor of a house
17	打工		dǎ gōng	to do a temporary job
18	路	(名)	lù	road
19	号	(名)	hào	number
20	旧	(形)	jiù	old
21	新	(形)	xīn	new

| 22 | 录音机 | （名） | lùyīnjī | tape recorder |

专有名词　Proper Noun

| 1 | 大宝 | | Dàbǎo | name of a person |
| 2 | 英语 | | Yīngyǔ | English |

三、句型替换练习　Substitution drills of sentence patterns

1　我的毛衣不是红的，是白的。

大衣	蓝	黑
书包	大	小
手机	这样	那样

对话

A：你的毛衣是红的还是白的？

B：我的毛衣不是红的，是白的。

2　你们上午上课还是下午上课？

现在去	晚上去
今天回家	明天回家
坐公交车	骑自行车

对话

A：你们上午上课还是下午上课？

B：我们上午上课。

3 这些书　是你　　　的还是他　　　的？

笔　　明明　　　　王兰
东西　你　　　　　学校
椅子　这个教室　　那个教室

对话

A：这些书是你的还是他的？

B：有的是我的，有的是他的。

4 你住一层　　还是二层？

喝咖啡　　　　茶
用这台电脑　　那台电脑
住1101　　　 1011

对话

A：你住一层还是二层？

B：我住二层。

◎ 四、会话　Dialogues

（一）

A：你们 住 哪儿？
　　Nǐmen zhù nǎr?

B：我们　住 学生 宿舍，有的 住10楼，有的
　　Wǒmen zhù xuésheng sùshè,　yǒude zhù shí lóu,　yǒude

住 4 楼。
zhù sì lóu.

A：你住 10 楼 还是 4 楼？
　　Nǐ zhù shí lóu háishi sì lóu?

B：我 住 10 楼。
　　Wǒ zhù shí lóu.

A：你住几层？
　　Nǐ zhù jǐ céng?

B：我 住 4 层，401。
　　Wǒ zhù sì céng, sì líng yāo.

(二)

A：你 住 学生 宿舍 吗？
　　Nǐ zhù xuésheng sùshè ma?

B：不，我自己租 房子。
　　Bù, wǒ zìjǐ zū fángzi.

A：房租 贵不 贵？
　　Fángzū guì bu guì?

B：房租 比较贵。
　　Fángzū bǐjiào guì.

A：你的 房间 里有 没有 电视机 和 冰箱？
　　Nǐ de fángjiān li yǒu méiyǒu diànshìjī hé bīngxiāng?

B：有 一台电视机，但是 没有 冰箱。
　　Yǒu yì tái diànshìjī, dànshì méiyǒu bīngxiāng.

A：电视机 是你的还是 房东 的？
　　Diànshìjī shì nǐ de háishi fángdōng de?

B：是 房东 的。
　　Shì fángdōng de.

 五、课文　Text

大宝的房间
Dàbǎo de Fángjiān

大宝 在 城里打工，他自己租房子，房租不太贵。
Dàbǎo zài chéng li dǎ gōng, tā zìjǐ zū fángzi, fángzū bú tài guì.

他住 红 房子路 352 号 1101 房间。
tā zhù Hóng Fángzi Lù sānbǎi wǔshí'èr hào yāo yāo líng yāo fángjiān.

他的房间 里有 桌子、椅子和 床。桌子和 椅子
Tā de fángjiān li yǒu zhuōzi、 yǐzi hé chuáng. Zhuōzi hé yǐzi

是旧的， 床 是新的。房间 里还有 电视机 和 冰箱，
shì jiù de, chuáng shì xīn de. Fángjiān li hái yǒu diànshìjī hé bīngxiāng,

这些 都 是 房东 的。
zhèxiē dōu shì fángdōng de.

这 台电脑 是他自己的，这个录音机 也是他自己的。
Zhè tái diànnǎo shì tā zìjǐ de, zhège lùyīnjī yě shì tā zìjǐ de.

晚上 他用 电脑学习英语，用 录音机 听 课文 录音。
Wǎnshang tā yòng diànnǎo xuéxí Yīngyǔ, yòng lùyīnjī tīng kèwén lùyīn.

六、语法　Grammar

(一) 选择疑问句　Alternative questions

● 用 "还是" 连接两种可能的答案，可以构成疑问句，这种疑问句叫选择疑问句。例如：

A question using "还是" to link two possible answers is called an alternative question, e.g.

(1) 他是<u>老师</u>还是<u>学生</u>？

(2) 他什么时候来？<u>今天</u>还是<u>明天</u>？

(3) 你们<u>上午上课</u>还是<u>下午上课</u>？

（二）"的"字结构（1）　The "的" structure（1）

● 代词以及表示人或单位的名词可以和结构助词"的"组成"的"字结构，在句子中起名词的作用，表示领属关系。例如：

A pronoun or a noun denoting the person or work unit can be used in the "的"structure together with the structural particle "的" to form the "的" structure. The "的" structure functions as a noun and indicates a possesive relationship, e.g.

(1) 这个收音机是<u>谁的</u>？

(2) 这个书包是<u>明明</u>的，不是<u>我的</u>。

● "的" 也可以在动词、形容词或其他名词后边，在句子中也起名词的作用，表示限制和区别。例如：

"的" can also be used after a verb, an adjective or other nouns. In such a case, it functions as a noun and indicates restriction and distinction, e.g.

(3) 明天我带<u>吃的</u>，你带<u>喝的</u>。

(4) 我的毛衣是<u>蓝的</u>，不是<u>红的</u>。

（三）号码的读法 Ways to read numbers

- 当号码中的数字是两位数时，按数字读，例如：

  A double-digit number is read as the numeral, e.g.

  "24 号房间" 读做 "èrshísì hào fángjiān"。

- 当号码中的数字是三位数或者三位以上的数字时，数字要一个一个地读，例如：

  A three or more digit number is read digit by digit，e.g.

  "307 号房间" 读做 "sān líng qī hào fángjiān"。

- 号码中的数字 "1" 要读做 "yāo"，例如：

  Number "1" should be read as "yāo"，e.g.

  "1104 房间" 要读做 "yāo yāo líng sì fángjiān"。

第十五课　现在几点

Lesson 15　What time is it now

一、核心句　Key sentences

51 今天（是）几月几号？　　　　What's the date today?
Jīntiān shì jǐ yuè jǐ hào?

52 现在 十二 点 十 分。　　　　It is ten past twelve now.
Xiànzài shí'èr diǎn shí fēn.

53 我 上午 十点 上 课。　　　　I have class at ten in
Wǒ shàngwǔ shí diǎn shàng kè.　the morning.

54 我 明天 晚上 去 看　　　　I will go to a movie
Wǒ míngtiān wǎnshang qù kàn　tomorrow night.
电影。
diànyǐng.

二、生词 New words

1	月	(名)	yuè	month
2	号	(量)	hào	number (here it refers to the date of the month)
3	日	(名)	rì	date
4	昨天	(名)	zuótiān	yesterday
5	星期	(名)	xīngqī	week
6	生日	(名)	shēngrì	birthday
7	点	(量)	diǎn	o'clock, hour
8	分	(量)	fēn	minute
9	点钟	(名)	diǎnzhōng	o'clock
10	差	(动)	chà	to be short of
11	起床		qǐ chuáng	to get up
12	半	(数)	bàn	half
13	刻	(量)	kè	quarter
14	睡	(动)	shuì	to sleep
	睡觉		shuì jiào	to have a sleep
15	或者	(动)	huòzhě	or (else)
16	明年	(名)	míngnián	next year
17	年	(名)	nián	year
18	今年	(名)	jīnnián	this year

19	开始	（动、名）	kāishǐ	to start; start
20	课	（名）	kè	class
21	节	（量）	jié	period
22	回来	（动）	huílai	to come back
23	以后	（名）	yǐhòu	afterwards; after
24	下	（名）	xià	next(week, month, etc.); down; to go down
25	第	（词头）	dì	*prefix of ordinal numbers*

补充生词 Supplementary new word

1	去年	（名）	qùnián	last year
2	新年	（名）	xīnnián	new year
3	上	（名）	shàng	last(week, month, etc.); up; to go up

三、句型替换练习 Substitution drills of sentence patterns

1 今天　（是）＿＿月＿＿号（日）。

明天　　　＿＿　＿＿

昨天　　　＿＿　＿＿

星期天　　＿＿　＿＿

我的生日　＿＿　＿＿

对话

A：今天（是）几月几号?

B：今天（是）＿月＿号。

2

现在十二点十分。

对话

A：现在几点（钟）?

B：现在十二点十分。

3

我上午十点　　上课。

差五分七点　起床

七点半　　　吃早饭

七点三刻　　去教室

下午两点　　下课

晚上十二点　睡觉

对话

A：你几点上课?

B：我上午十点上课。

4

我明天晚上	去看电影。
星期三	去姐姐家
下午两点或者三点	去买东西
星期六或者星期天	休息
明年或者今年	去北京

对话

A：你什么时候去看电影？
B：我明天晚上去看电影。

 四、会话　Dialogues

---

（一）

A：你每天几点起床？
　　Nǐ měi tiān jǐ diǎn qǐ chuáng?

B：我每天七点起床。
　　Wǒ měi tiān qī diǎn qǐ chuáng.

A：几点吃早饭？
　　Jǐ diǎn chī zǎofàn?

B：七点半吃早饭。
　　Qī diǎn bàn chī zǎofàn.

A：你们几点开始上课？
　　Nǐmen jǐ diǎn kāishǐ shàng kè?

B：我们八点开始上课。
　　Wǒmen bā diǎn kāishǐ shàng kè.

A：你每天上午有几节课？
　　Nǐ měi tiān shàngwǔ yǒu jǐ jié kè?

B：我 每天 上午 有四节课。
Wǒ měitiān shàngwǔ yǒu sì jié kè.

A：你几 点 吃午饭?
Nǐ jǐ diǎn chī wǔfàn?

B：我 12 点半 吃 午饭。
Wǒ shí'èr diǎn bàn chī wǔfàn.

(二)

A：下个星期 你去哪儿?
Xià ge xīngqī nǐ qù nǎr?

B：下个星期我 去北京。
Xià ge xīngqī wǒ qù Běijīng.

A：什么 时候 回来?
Shénme shíhou huílai?

B：三 天 或者 四 天 以后 回来。
Sān tiān huòzhě sì tiān yǐhòu huílai.

A：下个 月你去 北京 吗?
Xià ge yuè nǐ qù Běijīng ma?

B：下个 月 我不 去北京。
Xià ge yuè wǒ bú qù Běijīng.

五、课文 Text

早上七点起床
Zǎoshang Qī Diǎn Qǐ Chuáng

我 每 天 早上 七 点 起 床，七点 半 吃 早饭。
Wǒ měi tiān zǎoshang qī diǎn qǐ chuáng, qī diǎn bàn chī zǎofàn.

我们 第一节 课 八 点 开始，八 点 五十 下课。第二节
Wǒmen dì-yī jié kè bā diǎn kāishǐ, bā diǎn wǔshí xià kè. Dì-èr jié

课 九 点 开始，九 点 五十 下 课。
kè jiǔ diǎn kāishǐ, jiǔ diǎn wǔshí xià kè.

我 每 天 十二点 一刻 吃 午饭，我 在 食堂 吃 午饭。
Wǒ měi tiān shí'èr diǎn yí kè chī wǔfàn, wǒ zài shítáng chī wǔfàn.

晚上   有的 时候 我 自己 做饭，有的 时候 在 食堂
Wǎnshàng yǒude shíhou wǒ zìjǐ zuò fàn, yǒude shíhou zài shítáng

吃饭。我 十一 点 半 睡觉。
chī fàn. Wǒ shíyī diǎn bàn shuìjiào.

六、语法 Grammar

(一) 时间的表示法 Expressions of time

● 汉语里表示钟点的格式是 "……点……分"。"分" 前是两位数时，"分" 可以省略不说。例如：

In Chinese, the way to tell the time is "……点……分", and when a double-digit number precedes "分", "分" can be omitted, e.g.

(1) 1:05   一点零五分

(2) 2:15   两点十五 (分)

- "十五分" 可以说 "一刻"，"四十五分" 可以说 "三刻"，但是 "三十分" 不能说 "两刻"，而常说 "……点半"，例如：

  "一刻" means 15 minutes and 45 minutes means "三刻". However, we cannot say "两刻" to mean 30 minutes, but "……点半", e.g.

  (3) 6:15　六点一刻

  (4) 11:45　十一点三刻

  (5) 10:30　十点半

- 接近下一个钟点时，也可以说成 "差……分……点" 或 "……点差……分"。例如：

  The time close to the next hour may be said as "差……分……点" or "……点差……分", e.g.

  (6) 9:45　差一刻十点 / 十点差一刻

  (7) 11:50　差十分十二点 / 十二点差十分

（二）年、月、日、星期的表示法

Expressions of a date, a week, a month and a year

- 汉语里十二个月的名称是：

  The twelve months in Chinese are：

  一月、二月、三月、四月、五月、六月、七月、八月、九月、十月、十一月、十二月

- 表示日期的格式是在 "1~31" 后边加 "日" 或 "号"，通常书面语写做 "日"，口语说 "号"。例如：

  The way to express the date is to add "日" or "号" after the "1~31". "日" is usually used in written Chinese, whereas "号" is used in spoken Chinese, e.g.

一号、二号、三号……二十九号、三十号

● 一个星期七天的名称是：

The seven days of a week are：

星期一、星期二、星期三、星期四、星期五、星期六、星期天（星期日）

● 通常书面语写做"星期日"，口语说"星期天"。

"星期日" is usually used in written Chinese and "星期天" in spoken Chinese.

● 时间词语的排列顺序是"……年……月……日，星期……"。例如：

The order of words indicating time is as follows："……年……月……日，星期……"，e.g.

二○一○年八月三十一号，星期三

● 如果有更具体的时间，也是按从大到小的顺序排列。例如：

As for a more specific time, it is also arranged in a descending order, e.g.

星期三上午八点三十五分

（三）"或者"和"还是" Difference between "或者" and "还是"

● "或者"用在陈述句中，"还是"用在疑问句中。例如：

Both "或者" and "还是" mean "or", but the former is used in a declarative sentence and the latter is used in an interrogative sentence, e.g.

(1) 你星期六回来还是星期天回来？

(2) 我星期六或者星期天回来。

Dì-shíliù Kè　Xuéxiào Pángbiān de Yì Tiáo Jiē

第十六课　学校旁边的一条街

Lesson 16　A street near the school

一、核心句　Key sentences

55　邮局 在 学校 西边儿。
Yóujú　zài xuéxiào xībiānr.

The post office is to the west of the school.

56　食堂 外边儿 有 一 辆
Shítáng wàibiānr　yǒu yí liàng
汽车。
qìchē.

There is a car outside the cafeteria.

57　学校 北边儿是 商场。
Xuéxiào běibiānr shì shāngchǎng.

There is a store to the north of the school.

58　里边儿的 房间 是我
Lǐbiānr　de fángjiān shì wǒ
弟弟 的。
dìdi　de.

The room inside is my younger brother's.

二、生词　New words

1	东边(儿)	(名)	dōngbiān(r)		
	东面		dōngmian	east	
2	西边(儿)	(名)	xībiān(r)		
	西面		xīmian	west	
3	南边(儿)	(名)	nánbiān(r)		
	南面		nánmian	south	
4	北边(儿)	(名)	běibiān(r)		
	北面		běimian	north	
5	上边(儿)	(名)	shàngbiān(r)		
	上面		shàngmian	above; over; on top of	
6	下边(儿)	(名)	xiàbiān(r)		
	下面		xiàmian	under; below; down	
7	左边(儿)	(名)	zuǒbiān(r)		
	左面		zuǒmian	left	
8	右边(儿)	(名)	yòubiān(r)		
	右面		yòumian	right	
9	前边(儿)	(名)	qiánbiān(r)		
	前面		qiánmian	front; in front of	
10	后边(儿)	(名)	hòubiān(r)		
	后面		hòumian	rear; behind	

11	里边(儿)	(名)	lǐbian(r)	
	里面		lǐmian	inside
12	外边(儿)	(名)	wàibian(r)	
	外面		wàimian	outside
13	旁边(儿)	(名)	pángbian(r)	beside
14	中间	(名)	zhōngjiān	middle; between; center
15	对面	(名)	duìmiàn	opposite
16	邮局	(名)	yóujú	post office
17	车站	(名)	chēzhàn	(bus) stop; (railway)station
18	银行	(名)	yínháng	bank
19	运动	(名、动)	yùndòng	sport; have physical training
20	运动场	(名)	yùndòngchǎng	sports ground
21	商场	(名)	shāngchǎng	shopping mall
22	汽车	(名)	qìchē	automobile; motor vehicle
23	咖啡馆	(名)	kāfēiguǎn	cafe
24	照相馆	(名)	zhàoxiàngguǎn	photo studio
25	街	(名)	jiē	street
26	街道	(名)	jiēdào	street

三、句型替换练习　Substitution drills of sentence patterns

1　邮局　在学校西边。

车站　　　　旁边

银行　　　　南边　　　　对话

运动场　　　中间　　　　A：请问，邮局在哪儿？

商场　　　　后边　　　　B：邮局在学校西边。

2　食堂外边有一辆汽车。

学校里边　很多楼

车站旁边　一个咖啡馆　　对话

银行对面　一个商场　　　A：食堂外边有没有汽车？

　　　　　　　　　　　　B：食堂外边有一辆汽车。

3　学校北边　是商场。

这个楼西边　食堂

银行东边　　车站　　　　对话

商场后边　　邮局　　　　A：学校北边是什么地方？

　　　　　　　　　　　　B：学校北边是商场。

4　里边儿的房间是我弟弟的。

对面的房间　张先生

上边的衣服　我　　　　　对话

左边的东西　大宝　　　　A：里边儿的房间是谁的？

　　　　　　　　　　　　B：里边儿的房间是我弟弟的。

 **四、会话** Dialogues

（一）

A： 请问，邮局在 哪儿？
　　Qǐngwèn, yóujú zài nǎr?

B： 邮局在 西边。
　　Yóujú zài xībian.

A： 西边是一个学校。
　　Xībian shì yí ge xuéxiào.

B： 对，邮局在学校 旁边。
　　Duì, yóujú zài xuéxiào pángbiān.

A： 邮局在 学校 的 左边 还是右边？
　　Yóujú zài xuéxiào de zuǒbian háishi yòubian?

B： 在 学校 的 左边。
　　Zài xuéxiào de zuǒbian.

（二）

A： 车站 的附近有 没有 商场？
　　Chēzhàn de fùjìn yǒu méiyǒu shāngchǎng?

B： 有，车站 的 左边 有一家 商场， 车站
　　Yǒu, chēzhàn de zuǒbian yǒu yì jiā shāngchǎng, chēzhàn

　　的右边 也有一家 商场。
　　de yòubian yě yǒu yì jiā shāngchǎng.

A：左边 的 商场 卖 什么? 右边 的 商场
Zuǒbian de shāngchǎng mài shénme? Yòubian de shāngchǎng

卖 什么?
mài shénme?

B：左边 的 商场 卖衣服。右边 的 商场
Zuǒbian de shāngchǎng mài yīfu. Yòubian de shāngchǎng

卖 水果 和 蔬菜。
mài shuǐguǒ hé shūcài.

A：车站 的对面有 没有 银行?
Chēzhàn de duìmiàn yǒu méiyǒu yínháng?

B：车站 的对面 有 两家 银行。
Chēzhàn de duìmiàn yǒu liǎng jiā yínháng.

◎ 五、课文 Text

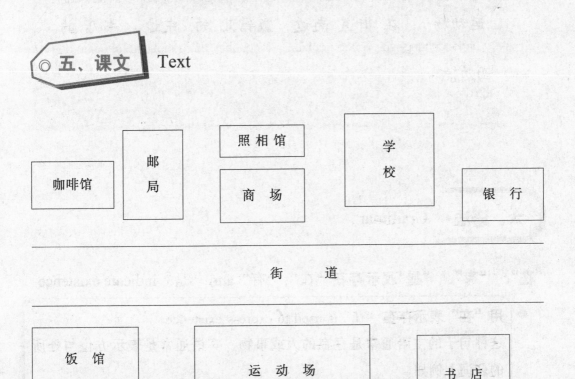

| 咖啡馆 | 邮局 | 照相馆 | 学校 | 银行 |
| | | 商场 | | |

街 道

| 饭馆 | 运动场 | 书店 |

学校旁边的一条街
Xuéxiào pángbiān de yì tiáo jiē

这 是 学校 旁边 的 一条 街。这条 街 上 车 很
Zhè shì xuéxiào pángbiān de yì tiáo jiē. Zhè tiáo jiē shang chē hěn

少，但是 人 比较 多。
shǎo, dànshì rén bǐjiào duō.

街道 北边 有 学校、 商场 和 邮局。邮局 在
Jiēdào běibian yǒu xuéxiào、shāngchǎng hé yóujú. Yóujú zài

咖啡馆 和 商场 中间， 商场 后边 是 一家
kāfēiguǎn hé shāngchǎng zhōngjiān, shāngchǎng hòubian shì yì jiā

照相馆。 学校 的 东边 是 一家 银行。
zhàoxiàngguǎn. Xuéxiào de dōngbian shì yì jiā yínháng.

学校 的 对面 是 一家 书店，邮局的 对面 是 饭馆儿。
Xuéxiào de duìmiàn shì yì jiā shūdiàn, yóujú de duìmiàn shì fànguǎnr.

运动场 在 街道 南边，饭馆儿 的 东边，书店 的
Yùndòngchǎng zài jiēdào nánbian, fànguǎnr de dōngbian, shūdiàn de

西边。
xībian.

六、语法 Grammar

"在"、"有"、"是"表示存在 "在"，"有" and "是" indicate existence

- **用 "在" 表示存在** "在" is used to express existence
  这种句子的主语通常是存在的人或事物，宾语通常是表示方位与处所的名词。例如：

The subject of such a sentence is usually an existent person or thing. Its object is usually a noun of locality, e.g.

（1）他在我左边。

（2）我的练习本在教室里。

● **用"有"表示存在**　"有" is used to express existence

表示存在的"有"做谓语主要成分时，句子的主语通常是表示方位、处所的名词，宾语是存在的人或事物。例如：

When "有" indicating existence serves as the major element of the predicate of a seatence, the subject of the sentence is often a noun denoting locality or place, and the object is an existent person or thing, e.g.

（3）后边有一个商店。

（4）教室里有两个学生。

● **用"是"表示存在**　"是" is used to express existence

"是"字句、"有"字句表示存在时，次序是一样的。例如：

The word order of a "是" sentence or a "有" sentence is the same when they indicate existence, e.g.

（5）你前边是谁？

（6）左边是一个楼，右边也是一个楼。

复习 (四)
Revision (4)

一、**大声朗读** Read aloud

    1. 读出下列数字 Read the following numbers.

66	35	305	81	295	100
496	270	99	25	19	101
541	402	540	33	999	888

    2. 读出下列钱数 Read the following amounts of money.

50.00 元	75.45 元	27.23 元	8.14 元	2.90 元
1.25 元	0.20 元	2.22 元	0.50 元	26.00 元
57.20 元	2.88 元	10.10 元	455.00 元	135.55 元
269.40 元	783.70 元	509.50 元	919.27 元	800.50 元

二、**根据所给的词造句** Make sentences with the given words.

> 例：老师：新　旧
>
> 学生：我要新的，不要旧的。

(1) 大　小		(2) 红　蓝	
(3) 黑　白		(4) 好　便宜	
(5) 长　短		(6) 新　旧	
(7) 容易　难		(8) 今天　明天	
(9) 多　少		(10) 好吃　不好吃	

三、动词"有"、"在"、"是"练习

Exercises in the verbs "有"，"在"，and "是"

1. 把下列句子改为用动词"有"的句子

Change the following sentences into the "有" sentences.

(1) 邮局在学校西边。

(2) 车站在学校旁边。

(3) 运动场在学校中间。

(4) 商场在学校后边。

(5) 银行在学校南边。

2. 把下列句子改为用动词"是"的句子

Change the following sentences into the "是" sentences.

(1) 邮局在学校西边。

(2) 车站在学校旁边。

(3) 运动场在学校中间。

(4) 商场在学校后边。

(5) 银行在学校南边。

3. 把下列句子改为用动词"在"的句子

Change the following sentences into the "在" sentences.

(1) 学校北边是商场。

(2) 这个楼西边是食堂。

(3) 银行东边是车站。

(4) 商场旁边是学校。

(5) 商场后边是邮局。

四、情景会话 Situational conversations

1. 买文具 Shopping for stationery

A：你好，我买本子。

B：你要哪一种？

A：这种多少钱一个？

B：这种两块五一个。

A：我要两个。

B：还要什么？

A：还要这种笔。

B：这种笔三块五一支。

A：我要两支。一共多少钱？

B：一共 12 块钱。

A：这是 20 块钱。

B：找你 8 块钱。

A：谢谢。

B：再见。

2. 买水果 Shopping for fruit

(1) A：附近有没有水果店？

B：有，学校里边有一家水果店。

A：水果的价钱怎么样？

B：价钱不太贵。

A：学校外边有没有水果店？

B：学校外边有一家市场，里面也有水果店。

A：那儿的水果价钱怎么样？

B：那儿的水果价钱比较便宜。

(2) A：苹果多少钱一斤？

B：这种五块钱一斤，那种两块五一斤。

A：这种很贵，那种比较便宜。

B：这种苹果好，那种不太好。

A：我买这种好的苹果。

B：你要多少？

A：我要两个。

B：两个苹果一斤。你还要什么？

A：我还要两个香蕉。一共多少钱？

B：一共六块五。

3. 讨论时间 Discussion on schedules

  （1）A：你每天几点起床？

        B：我七点起床。

        A：几点吃早饭？

        B：七点半吃早饭。

        A：几点上课？

        B：八点上课。

        A：每天上午有几节课？

        B：每天上午有四节课。

        A：什么时候下课？

        B：十二点下课。

  （2）A：星期六我想去看电影，你有没有时间？

        B：我没有时间。

        A：星期六你不休息做什么？

        B：上午我去银行，下午我上街买东西。

        A：晚上你做什么？

        B：晚上我想在家休息。

        A：星期天你有没有时间？

        B：星期天我有时间。

        A：下午两点我们去看电影，好不好？

        B：好。

五、口腔操练　Oral exercises

(1) A：苹果多少钱一斤？香蕉多少钱一斤？西红柿多少钱一斤？

　　B：苹果四块钱一斤，香蕉三块钱一斤，西红柿两块五一斤。

(2) A：苹果多少钱？香蕉多少钱？西红柿多少钱？一共多少钱？

　　B：苹果 10 块钱，香蕉 10 块钱，西红柿 4 块钱，一共 24 块钱。

(3) A：这个手机是谁的？那个手机是谁的？这两个手机是谁的？

　　B：这个手机是我的，那个手机也是我的，这两个手机都是我的。

(4) A：你们上午上课还是下午上课？他们上午上课还是下午上课？

　　B：我们上午上课，他们下午上课，我们晚上都不上课。

六、复述课文　Retelling the texts

(1) 学校附近有一个市场，那儿卖鸡蛋、蔬菜和水果。很多人都去市场买东西，市场的东西价钱比较便宜。一斤西红柿两块钱，一斤鸡蛋三块五，白菜一块五一斤。最便宜的蔬菜是白菜。

(2) 大宝在城里打工，他自己租房子，房租不太贵。他住红房子路 352 号 1101 房间。他的房间里有桌子、椅子和床。桌子和椅子是旧的，床是新的。房间里还有电视机和冰箱，这些都是房东的。这台电脑是他自己的，晚上他用电脑学习英语。

(3) 我每天早上七点起床，七点半吃早饭。我们第一节课八点开始，八点五十下课。第二节课九点开始，九点五十下课。我每天十二点一刻吃午饭。

(4) 这是学校旁边的一条街。街道北边有学校、商场和邮局。学校的东边是一家银行。学校的对面是一家书店。运动场在街道南边，饭馆的东边，书店的西边。

词汇表　Vocabulary

B

把	(量)	bǎ	6
爸爸	(名)	bàba	2
白	(形)	bái	11
白菜	(名)	báicài	13
百	(数)	bǎi	13
办公室	(名)	bàngōngshì	4
半	(数)	bàn	15
包子	(名)	bāozi	9
报纸	(名)	bàozhǐ	6
杯	(名)	bēi	7
北边(儿)	(名)	běibian(r)	16
北面	(名)	běimian	16
本	(量)	běn	6
本子	(名)	běnzi	4
比较	(副)	bǐjiào	11
笔	(名)	bǐ	6
冰箱	(名)	bīngxiāng	14
不	(副)	bù	5
不错	(形)	búcuò	11
不谢		bú xiè	5
不用谢		búyòng xiè	2

C

菜	(名)	cài	9
餐厅	(名)	cāntīng	9
层	(量)	céng	10
茶	(名)	chá	7
差	(动)	chà	15
长	(形)	cháng	11
长短	(名)	chángduǎn	11
常常	(副)	chángcháng	9
车站	(名)	chēzhàn	16
吃	(动)	chī	8
床	(名)	chuáng	6
词典	(名)	cídiǎn	4

D

打工		dǎ gōng	14
大	(形)	dà	8
大家	(代)	dàjiā	12
大小	(名)	dàxiǎo	11
大学	(名)	dàxué	8
大学生	(名)	dàxuéshēng	8
大衣	(名)	dàyī	11

大夫	（名）	dàifu	10
带	（动）	dài	12
但是	（连）	dànshì	14
的	（助）	de	10
地方	（名）	dìfang	12
地图	（名）	dìtú	6
弟弟	（名）	dìdi	2
第	（词头）	dì	15
点	（量）	diǎn	15
点钟	（名）	diǎnzhōng	15
电脑	（名）	diànnǎo	10
电视	（名）	diànshì	3
电视机	（名）	diànshìjī	14
电影	（名）	diànyǐng	5
东边（儿）	（名）	dōngbian(r)	16
东面	（名）	dōngmian	16
东西	（名）	dōngxi	8
都	（副）	dōu	5
短	（形）	duǎn	11
对	（形）	duì	10
对不起	（动）	duìbuqǐ	5
对面	（名）	duìmiàn	16
多	（形）	duō	10
多少	（代）	duōshao	13

E

儿子	（名）	érzi	4

F

饭	（名）	fàn	8
饭馆儿	（名）	fànguǎnr	9
方便	（形）	fāngbiàn	12
房东	（名）	fángdōng	14
房间	（名）	fángjiān	6
房子	（名）	fángzi	14
房租	（名）	fángzū	14
非常	（副）	fēicháng	11
分	（量）	fēn	15
附近	（名）	fùjìn	13

G

哥哥	（名）	gēge	2
个	（量）	gè	6
各	（代）	gè	11
各种		gè zhǒng	11
工作	（名、动）	gōngzuò	10
公交车	（名）	gōngjiāochē	12
公斤	（量）	gōngjīn	13
公园	（名）	gōngyuán	12

贵	（形）	guì	9
贵姓	（名）	guìxìng	8
国	（名）	guó	8

H

好	（形）	hǎo	1
好吃		hǎo chī	9
好看	（形）	hǎokàn	11
好玩儿	（形）	hǎowánr	12
号	（量）	hào	15
号	（名）	hào	14
喝	（动）	hē	7
合适	（形）	héshì	11
和	（连）	hé	6
黑	（形）	hēi	11
很	（副）	hěn	3
红	（形）	hóng	11
后边（儿）	（名）	hòubian(r)	16
后面	（名）	hòumian	16
护士	（名）	hùshi	10
花儿	（名）	huār	4
画儿	（名）	huàr	4
还	（副）	hái	7
还是	（连）	háishi	14
黄	（形）	huáng	11

回	（动）	huí	12
回答	（动）	huídá	4
回来	（动）	huílai	15
或者	（连）	huòzhě	15

J

鸡蛋	（名）	jīdàn	13
几	（代）	jǐ	6
家	（量）	jiā	10
家	（名）	jiā	4
价钱	（名）	jiàqian	13
件	（量）	jiàn	11
角	（量）	jiǎo	13
饺子	（名）	jiǎozi	9
叫	（动）	jiào	8
教室	（名）	jiàoshì	4
街	（名）	jiē	16
街道	（名）	jiēdào	16
节	（量）	jié	15
姐姐	（名）	jiějie	2
斤	（量）	jīn	13
今年	（名）	jīnnián	15
今天	（名）	jīntiān	12
进	（动）	jìn	7
近	（形）	jìn	12

旧	(形)	jiù	14	路	(名)	lù	14

K

咖啡	(名)	kāfēi	7
咖啡馆	(名)	kāfēiguǎn	16
开始	(动、名)	kāishǐ	15
看	(动)	kàn	3
可乐	(名)	kělè	7
刻	(量)	kè	15
课	(名)	kè	15
课文	(名)	kèwén	3
裤子	(名)	kùzi	11
块	(量)	kuài	13
矿泉水	(名)	kuàngquán-shuǐ	7

L

蓝	(形)	lán	11
老师	(名)	lǎoshī	2
累	(形)	lèi	2
里边(儿)	(名)	lǐbian(r)	16
里面	(名)	lǐmian	16
……里		…li	12
两	(数)	liǎng	6
辆	(量)	liàng	12
楼	(名)	lóu	10
录音机	(名)	lùyīnjī	14

M

妈妈	(名)	māma	2
吗	(助)	ma	2
买	(动)	mǎi	4
卖	(动)	mài	13
忙	(形)	máng	3
毛	(量)	máo	13
毛衣	(名)	máoyī	11
没有	(动)	méiyǒu	7
每	(代)	měi	9
妹妹	(名)	mèimei	2
米饭	(名)	mǐfàn	9
面包	(名)	miànbāo	9
名字	(名)	míngzi	8
明年	(名)	míngnián	15
明天	(名)	míngtiān	12

N

哪	(代)	nǎ	6
哪儿	(代)	nǎr	4
那	(代)	nà	2
那儿	(代)	nàr	4
那样	(代)	nàyàng	14
奶奶	(名)	nǎinai	2
男	(形)	nán	5

南边(儿)	(名)	nánbian(r)	16	
南面	(名)	nánmian	16	
难	(形)	nán	12	
你	(代)	nǐ	1	
你们	(代)	nǐmen	2	
年	(名)	nián	15	
念	(动)	niàn	3	
您	(代)	nín	1	
牛奶	(名)	niúnǎi	7	
女	(形)	nǚ	5	
女儿	(名)	nǚ'ér	4	

P

旁边(儿)	(名)	pángbian(r)	16
朋友	(名)	péngyou	2
啤酒	(名)	píjiǔ	7
便宜	(形)	piányi	9
漂亮	(形)	piàoliang	12
苹果	(名)	píngguǒ	13

Q

骑	(动)	qí	12
汽车	(名)	qìchē	16
起床		qǐ chuáng	15
前边(儿)	(名)	qiánbian(r)	16
前面	(名)	qiánmian	16
钱	(名)	qián	13

请	(动)	qǐng	7
请进		qǐng jìn	7
请问	(动)	qǐngwèn	7
请坐		qǐng zuò	7
去	(动)	qù	5

R

人	(名)	rén	6
认识	(动)	rènshi	10
日	(名)	rì	15
肉	(名)	ròu	13

S

商场	(名)	shāngchǎng	16
商店	(名)	shāngdiàn	4
上边(儿)	(名)	shàngbian(r)	16
上面	(名)	shàngmian	16
上课		shàng kè	5
上午	(名)	shàngwǔ	9
上衣	(名)	shàngyī	11
谁	(代)	shéi	10
身体	(名)	shēntǐ	3
什么	(代)	shénme	3
生词	(名)	shēngcí	3
生日	(名)	shēngrì	15
时候	(名)	shíhou	12
食堂	(名)	shítáng	8

市场	(名)	shìchǎng	13
是	(动)	shì	2
手机	(名)	shǒujī	10
书	(名)	shū	4
书包	(名)	shūbāo	6
书店	(名)	shūdiàn	4
蔬菜	(名)	shūcài	13
水	(名)	shuǐ	7
水果	(名)	shuǐguǒ	13
睡	(动)	shuì	15
睡觉		shuì jiào	15
宿舍	(名)	sùshè	14

T

他	(代)	tā	2
她	(代)	tā	2
他们 / 她们	(代)	tāmen	2
台	(量)	tái	14
太	(副)	tài	11
天	(名)	tiān	9
条	(量)	tiáo	11
听	(动)	tīng	3
同学	(名)	tóngxué	5
土豆	(名)	tǔdòu	13

W

外边(儿)	(名)	wàibian(r)	16

外面	(名)	wàimian	16
外国	(名)	wàiguó	8
玩儿	(动)	wánr	12
晚饭	(名)	wǎnfàn	9
晚上	(名)	wǎnshang	9
位	(量)	wèi	7
问	(动)	wèn	4
我	(代)	wǒ	2
我们	(代)	wǒmen	2
午饭	(名)	wǔfàn	9

X

西边(儿)	(名)	xībian(r)	16
西红柿	(名)	xīhóngshì	13
西面	(名)	xīmian	16
西医	(名)	xīyī	10
喜欢	(动)	xǐhuan	9
下	(名)	xià	15
下边(儿)	(名)	xiàbian(r)	16
下面	(名)	xiàmian	16
下课		xià kè	5
下午	(名)	xiàwǔ	9
先生	(名)	xiānsheng	7
现在	(名)	xiànzài	5
香蕉	(名)	xiāngjiāo	13
想	(动、能动)	xiǎng	13
小姐	(名)	xiǎojie	

			7
小学	（名）	xiǎoxué	8
些	（量）	xiē	12
写	（动）	xiě	3
谢谢	（动）	xièxie	2
新	（形）	xīn	14
星期	（名）	xīngqī	15
姓	（动）	xìng	8
休息	（动）	xiūxi	5
学	（动）	xué	3
学生	（名）	xuésheng	2
学习	（动）	xuéxí	5
学校	（名）	xuéxiào	4

Y

颜色	（名）	yánsè	11
样子	（名）	yàngzi	11
要	（动）	yào	7
爷爷	（名）	yéye	2
也	（副）	yě	5
一共	（副）	yígòng	7
一起	（副）	yìqǐ	12
衣服	（名）	yīfu	11
医生	（名）	yīshēng	10
医院	（名）	yīyuàn	10
以后	（名）	yǐhòu	15
椅子	（名）	yǐzi	6

音乐	（名）	yīnyuè	3
银行	（名）	yínháng	16
饮料	（名）	yǐnliào	7
用	（动）	yòng	14
邮局	（名）	yóujú	16
有	（动）	yǒu	6
有的	（代）	yǒude	14
右边(儿)	（名）	yòubian(r)	16
右面	（名）	yòumian	16
元	（量）	yuán	13
远	（形）	yuǎn	12
月	（名）	yuè	15
运动	（名、动）	yùndòng	16
运动场	（名）	yùndòng-	
		chǎng	16

Z

再见	（动）	zàijiàn	1
在	（动）	zài	4
早饭	（名）	zǎofàn	9
早上	（名）	zǎoshang	9
怎么样	（代）	zěnme-	
		yàng	11
张	（量）	zhāng	6
找(钱)	（动）	zhǎo (qián)	
			13
找	（动）	zhǎo	10

照相		zhào xiàng	12	种	(量)	zhǒng	7
照相馆	(名)	zhàoxiàng-guǎn	16	住	(动)	zhù	14
照相机	(名)	zhàoxiàngjī	12	桌子	(名)	zhuōzi	6
这	(代)	zhè	2	自己	(代)	zìjǐ	14
这儿	(代)	zhèr	4	自行车	(名)	zìxíngchē	12
这样	(代)	zhèyàng	14	租	(动)	zū	14
支	(量)	zhī	6	最	(副)	zuì	13
知道	(动)	zhīdao	5	昨天	(名)	zuótiān	15
纸	(名)	zhǐ	6	左边(儿)	(名)	zuǒbian(r)	16
中间	(名)	zhōngjiān	16	左面	(名)	zuǒmian	16
中文	(名)	Zhōngwén	8	作业	(名)	zuòyè	3
中午	(名)	zhōngwǔ	9	坐	(动)	zuò	12
中学	(名)	zhōngxué	8	坐	(动)	zuò	7
中医	(名)	zhōngyī	10	做	(动)	zuò	3

专有名词 Proper nouns

B

北京	Běijīng	8

D

大宝	Dàbǎo	14

H

汉语	Hànyǔ	3
韩国	Hánguó	8

L

李	Lǐ	8

M

美国	Měiguó	8
明明	Míngming	8

R

日本	Rìběn	8

	W				**Z**	
王兰	Wáng Lán	8	张	Zhāng		8
	Y		中国	Zhōngguó		8
英语	Yīngyǔ	14			

补充生词　Supplementary new words

		B		黄瓜	（名）	huángguā	13
八	（数）	bā	1			**J**	
币		bì	13	橘子	（名）	júzi	13
		C		九	（数）	jiǔ	1
菜花	（名）	càihuā	13			**L**	
草莓	（名）	cǎoméi	13	梨	（名）	lí	13
厕所	（名）	cèsuǒ	5	零	（数）	líng	13
		E		六	（数）	liù	1
二	（数）	èr	1	录音	（名）	lù yīn	5
		F		萝卜	（名）	luóbo	13
分	（量）	fēn	13			**M**	
		H		蘑菇	（名）	mógu	13
胡萝卜	（名）	húluóbo	13			**P**	
				葡萄	（名）	pútao	13

Q

七	(数)	qī	1
千	(数)	qiān	13
青椒	(名)	qīngjiāo	13
去年	(名)	qùnián	15

R

人民	(名)	rénmín	13
人民币	(名)	rénmínbì	13
容易	(形)	róngyì	12

S

三	(数)	sān	1
上	(名)	shàng	15
少	(形)	shǎo	10
生菜	(名)	shēngcài	13
十	(数)	shí	1
蔬菜	(名)	shūcài	13
水果	(名)	shuǐguǒ	13

说	(动)	shuō	3
四	(数)	sì	1

T

桃子	(名)	táozi	13

W

五	(数)	wǔ	1

X

西瓜	(名)	xīguā	13
小学生	(名)	xiǎoxuéshēng	8
新年	(名)	xīnnián	15

Y

一	(数)	yī	1
洋葱	(名)	yángcōng	13

Z

中学生	(名)	zhōngxuéshēng	8

致 教 师
To the teacher

亲爱的教师,您好!

感谢您选择《汉语口语345》!为方便您的使用,下面就各部分的教学方法提出我们的建议,供您参考:

1. 教发音和声调时,老师要作示范,学生跟着老师说。

第1课给出了汉语的全部声母和韵母,学生跟着老师念几遍就可以,有困难不要紧。难音在后面几课还要重点练习。第一课重点练一练声调。

发音的难点分散在第二到八课中,如果学生发音或声调不准确,老师要说明发音要领,加以纠正,并且反复示范。

2. 生词部分:(1)老师领读生词,(2)老师说生词的外语意思,让学生翻译成汉语。

3. 句型替换练习部分:

例如第十课:

1
这是老师的书。

他	笔
我	手机
王兰	电脑

对话:

A:这是谁的书?

B:这是老师的书。

(1)首先由老师领着念,学生跟着说。念句型"这是老师的书",念替换练习"这是他的笔",等等,念一遍或者两遍。变色的词是可以替换的。

(2)对句型和替换练习进行问答。老师和学生对话:老师问,学生回答。

老师:这是谁的书?

学生：这是老师的书。

老师：这是谁的笔?

学生：这是他的笔。

老师：这是谁的手机?

学生：这是我的手机。

......

(3) 把学生分成两个人一组，进行问答。

学生 A 问：这是谁的书?

学生 B 答：这是老师的书。

......

(4) 两个学生互换角色，学生 B 问，学生 A 回答。

这样，一直到能够把这个句型说得很流利为止，然后练习下一个句型。每一个句型都要这样练习。

4. 会话部分：

(1) 老师一句一句领读，学生跟读。

(2) 学生两个人一组读会话，同时尽可能记住会话的内容。

(3) 不看书，学生两个人一组，扮演不同的角色把对话说下来。

5. 课文部分：

(1) 第一遍老师一句一句领读，学生跟读。

(2) 第二遍老师根据课文内容一句一句地问，学生一句一句回答。

例如第十课：

这是医院，这家医院有西医也有中医，有很多西医大夫，还有很多中医大夫。这个楼的一层、二层、三层是西医，四层和五层是中医。我有一个朋友，她在这家医院工作，她是护士。

老师问：这是什么楼?

学生答：这是医院。

老师问：这家医院有中医吗?

学生答：这家医院有西医也有中医。

老师问：这家医院大夫多吗？

学生答：有很多西医大夫，还有很多中医大夫。

老师问：西医在几层？

学生答：这个楼的一层、二层、三层是西医。

老师问：中医在哪儿？

学生答：四层和五层是中医。

老师问：你有朋友在这家医院工作吗？

学生答：我有一个朋友，她在这家医院工作，她是护士。

(3) 复述课文。

A. 老师说：这是医院，这家医院有西医也有中医，

学生不看书，跟着说。如果不熟练，就多练习几遍。

B. 增加句子，加大难度。老师说：这是医院，这家医院有西医也有中医，有很多西医大夫，还有很多中医大夫。

学生不看书，跟着说。如果第一遍不熟练，可以再说一遍，一直到说得很流利为止。

C. 再增加一句。老师说：这是医院，这家医院有西医也有中医，有很多西医大夫，还有很多中医大夫。这个楼的一层、二层、三层是西医。

学生不看书，跟着说。

D. 再增加一句。老师说：这是医院，这家医院有西医也有中医，有很多西医大夫，还有很多中医大夫。这个楼的一层、二层、三层是西医，四层和五层是中医。我有一个朋友，她在这家医院工作，她是护士。

这样一句一句地增加，一直到学生能够不看书把整个课文都很流利地说下来为止。

首先全班一起跟老师复述。当全班能集体复述下来了，老师可以叫几个同学个别复述，也可以让学生两个人一组互相复述，一个说，另一个听他说得对不对。以后的课文越来越长，整个课文都复述下来会有困难，老师可以选择其中的一段或者两段来复述。

这种办法是为了帮助学生练习说一段话，对提高口语能力很有帮助，所以课文一定要这样练习才行。

总的来说，老师在课堂上的任务就是领着学生练习说汉语。练得越多，课堂气氛越活跃，学生也越有信心，教学就越见成效。

6.练习及测试册采用易撕的装订方式，便于教师随堂使用、布置作业和批改。

编　者

2009 年 7 月